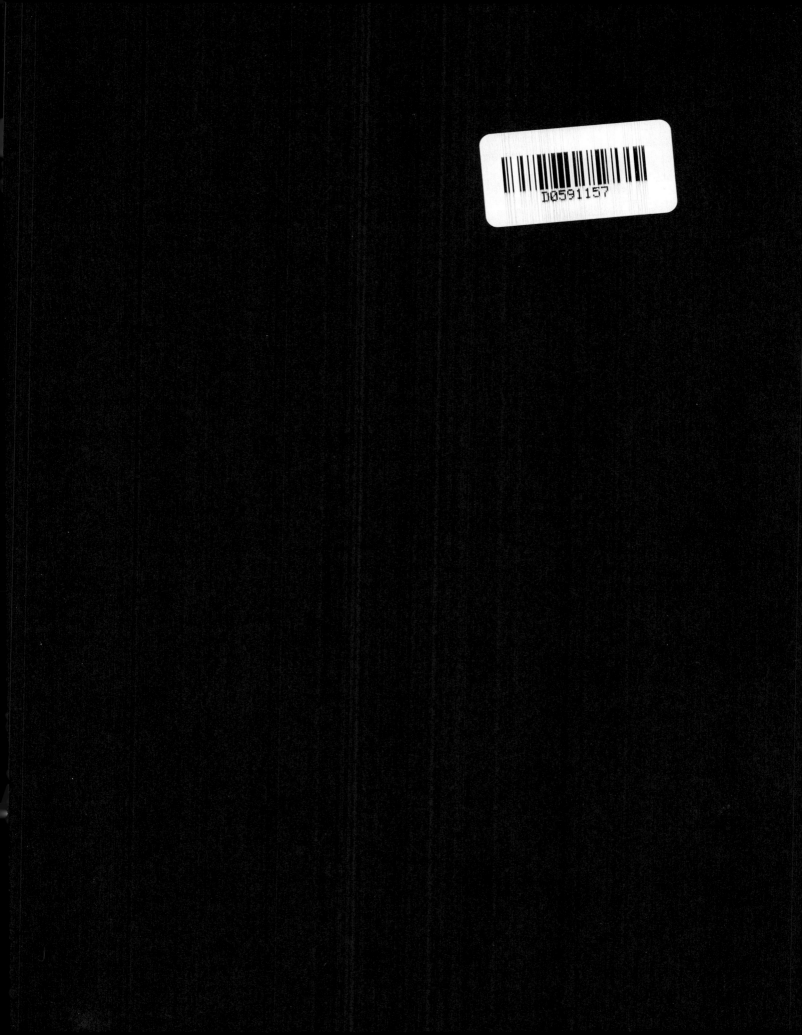

la conquête
du ciel

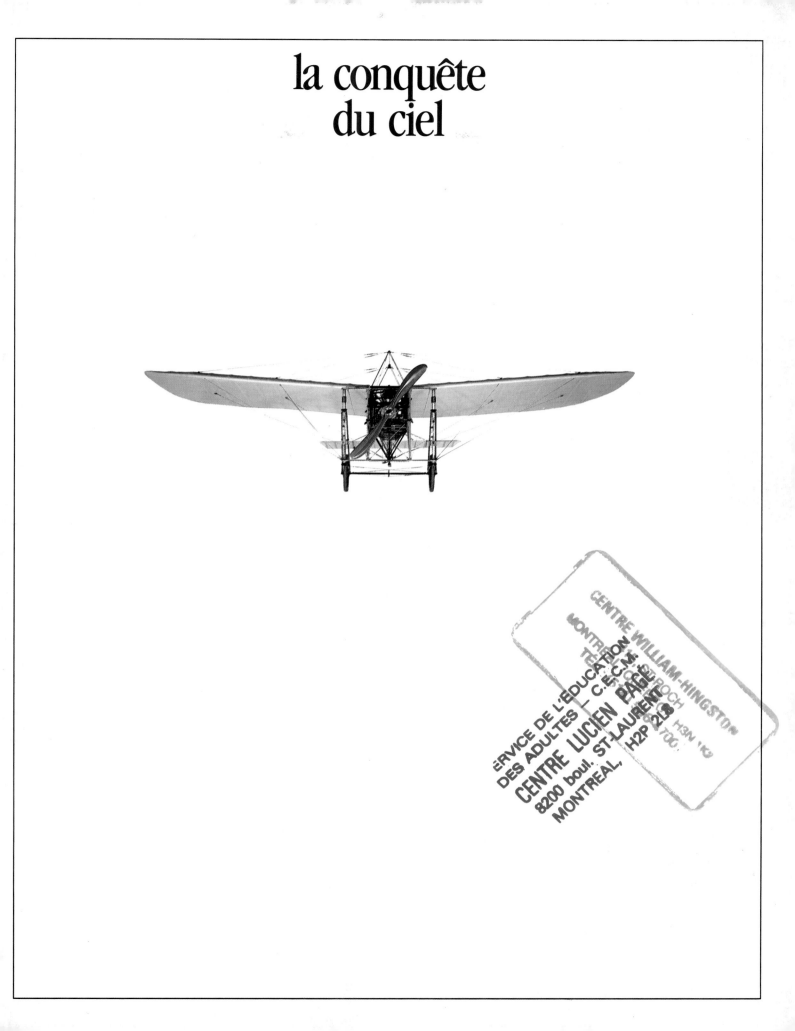

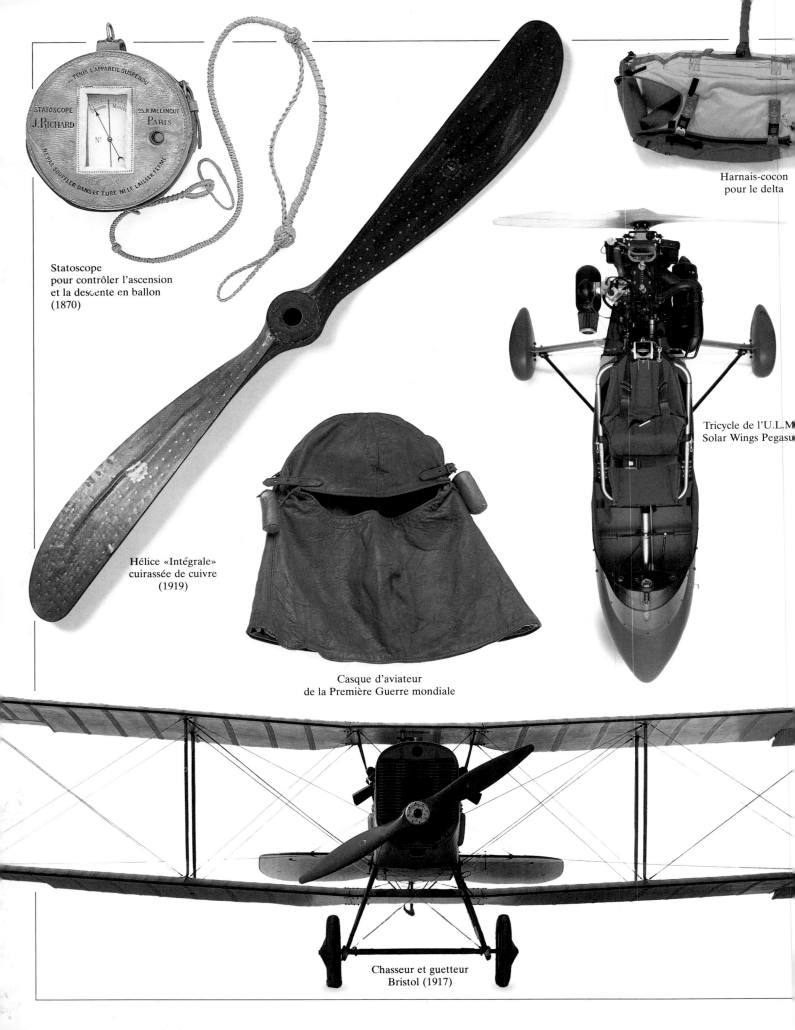

Statoscope
pour contrôler l'ascension
et la descente en ballon
(1870)

Hélice «Intégrale»
cuirassée de cuivre
(1919)

Harnais-cocon
pour le delta

Tricycle de l'U.L.M
Solar Wings Pegasu

Casque d'aviateur
de la Première Guerre mondiale

Chasseur et guetteur
Bristol (1917)

la conquête du ciel

par
Andrew Nahum

Photographies originales
de Dave King, Peter Chadwick
et Mike Dunning

Ressort à vent
(1910)

Planeur monoplace
Schleicher K 23 (1982)

Enregistreur
de données de vol,
ou «boîte noire»

Altimètre de poche
Elliott (1910)

Moteur Anzani
en éventail (1910)

Roue en acier forgé
du train d'atterrissage
d'un Hawker Hart
(1927)

GALLIMARD

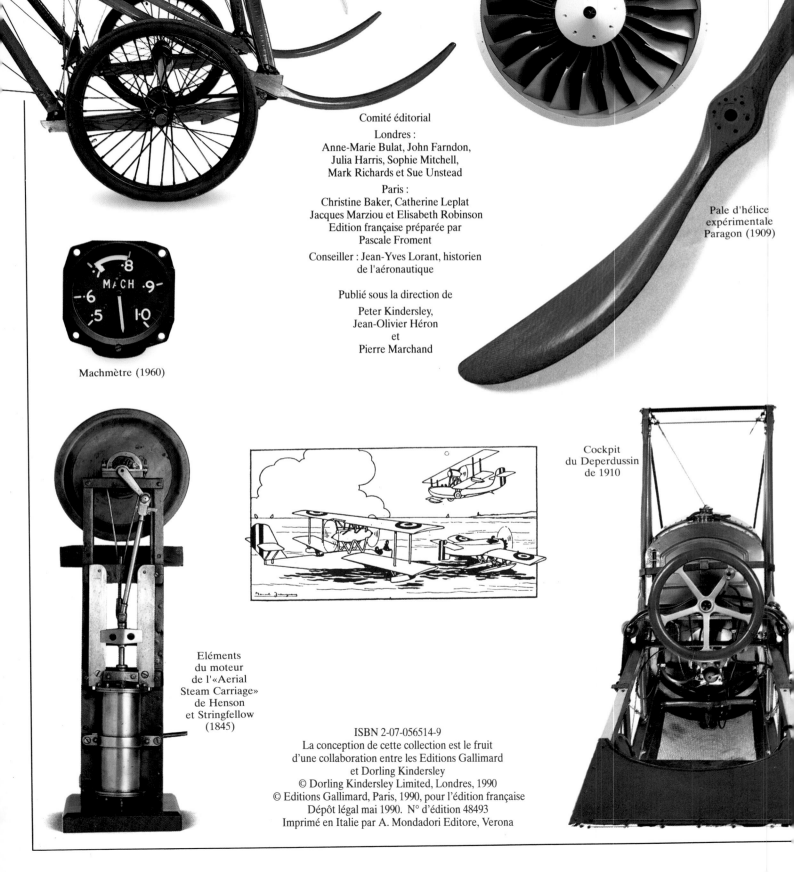

Train d'atterrissage
du Deperdussin
de 1910

Soufflante de
moteur à turbofans
Rolls-Royce Tay

Comité éditorial

Londres :
Anne-Marie Bulat, John Farndon,
Julia Harris, Sophie Mitchell,
Mark Richards et Sue Unstead

Paris :
Christine Baker, Catherine Leplat
Jacques Marziou et Elisabeth Robinson
Edition française préparée par
Pascale Froment

Conseiller : Jean-Yves Lorant, historien
de l'aéronautique

Publié sous la direction de
Peter Kindersley,
Jean-Olivier Héron
et
Pierre Marchand

Pale d'hélice
expérimentale
Paragon (1909)

Machmètre (1960)

Cockpit
du Deperdussin
de 1910

Eléments
du moteur
de l'«Aerial
Steam Carriage»
de Henson
et Stringfellow
(1845)

ISBN 2-07-056514-9
La conception de cette collection est le fruit
d'une collaboration entre les Editions Gallimard
et Dorling Kindersley
© Dorling Kindersley Limited, Londres, 1990
© Editions Gallimard, Paris, 1990, pour l'édition française
Dépôt légal mai 1990. N° d'édition 48493
Imprimé en Italie par A. Mondadori Editore, Verona

SOMMAIRE

Lunettes et cartes de la Première Guerre mondiale

LES HOMMES ONT TOUJOURS CARESSÉ LE RÊVE D'ICARE

Voler… Depuis Dédale, l'homme-oiseau de la mythologie grecque, les hommes en ont toujours rêvé. Longtemps ils ont cru que c'était en imitant les oiseaux qu'ils y parviendraient. Au Moyen Âge, beaucoup de casse-cou ont ainsi payé de leur vie l'expérience de s'attacher des ailes et de s'élancer du haut d'une tour ou d'une falaise.

Puis, au XVe siècle, l'Italien Léonard de Vinci, artiste et théoricien de génie, s'appliqua à percer le secret du vol. Lui aussi était convaincu qu'il fallait prendre modèle sur les oiseaux. Mais il comprit que les bras humains étaient trop faibles pour assurer un vol battu et imagina des machines à battre des ailes, ou «ornithoptères». Léonard n'a, semble-t-il, jamais essayé de construire ses machines, mais on en a retrouvé les croquis des siècles plus tard dans ses carnets. Les mécanismes du vol des oiseaux sont encore plus compliqués qu'il ne l'avait pressenti, mais il reste néanmoins un précurseur : il est le premier à avoir inventé une machine volante en s'appuyant sur des principes scientifiques.

COMME UN CANARD
En 1678, un serrurier français du nom de Besnier tenta de voler avec des ailes inspirées des pattes palmées du canard. S'il atterrit vivant, c'est qu'il eut beaucoup de chance!

LE CRASH D'ICARE
Selon la légende grecque, Dédale construisit le Labyrinthe pour Minos, roi de Crète, qui l'y enferma ensuite pour l'empêcher d'en révéler le secret. Avec son fils Icare, il réussit à s'évader dans les airs grâce à des ailes de cire et de plumes. Mais Icare vola si près du soleil que la cire fondit et qu'il s'abîma dans la mer.

COMMENT LES OISEAUX VOLENT
Ceux qui, comme Léonard de Vinci, rêvaient de devenir aviateurs, croyaient que les oiseaux se propulsaient dans les airs en battant des ailes vers le bas et l'arrière, sur le modèle des rames dans l'eau. En réalité, ils battent des ailes à la fois vers le haut et le bas, et même vers l'avant.

BATTEMENT D'AILES
Les carnets de Léonard de Vinci témoignent de l'application avec laquelle il a étudié les oiseaux et de son ingéniosité à concevoir des mécanismes pour copier leur battement d'ailes. Il pensait avec raison que c'était avec le bout de leurs ailes qu'ils poussaient l'air et s'y propulsaient. Aussi a-t-il imaginé un système de charnières et de poulies pour serrer et renforcer l'extrémité des ailes. Il n'était pas loin de la vérité mais le vol des oiseaux est encore plus complexe qu'il ne le croyait.

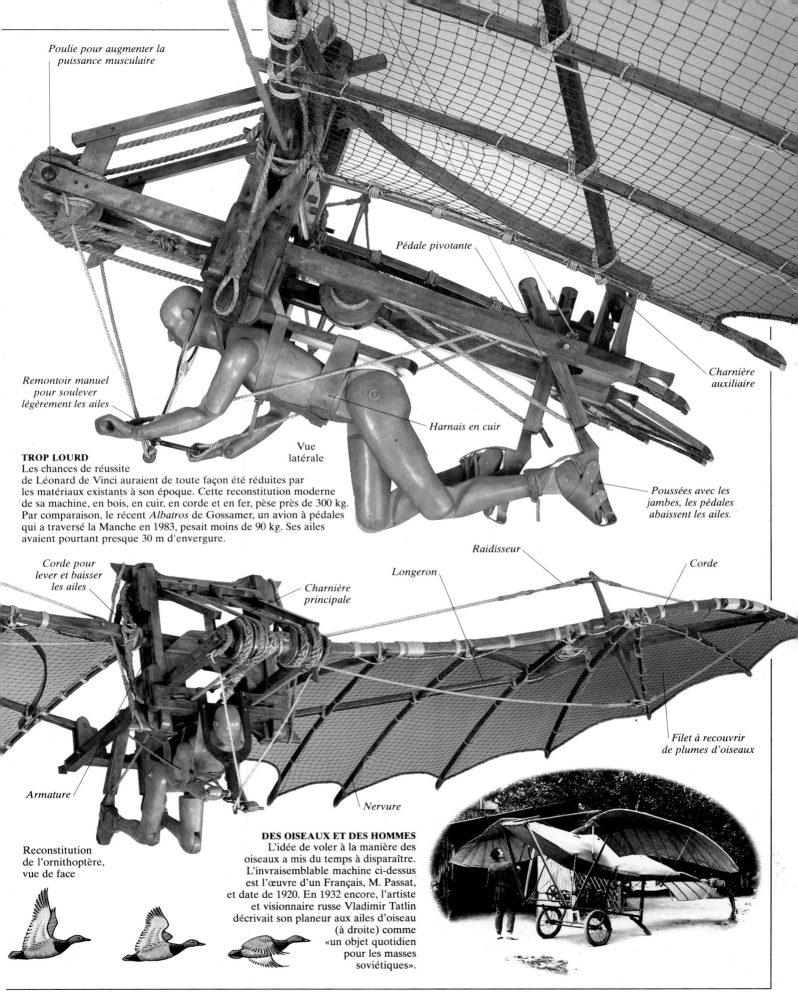

Poulie pour augmenter la puissance musculaire

Pédale pivotante

Charnière auxiliaire

Remontoir manuel pour soulever légèrement les ailes

Harnais en cuir

Vue latérale

TROP LOURD
Les chances de réussite de Léonard de Vinci auraient de toute façon été réduites par les matériaux existants à son époque. Cette reconstitution moderne de sa machine, en bois, en cuir, en corde et en fer, pèse près de 300 kg. Par comparaison, le récent *Albatros* de Gossamer, un avion à pédales qui a traversé la Manche en 1983, pesait moins de 90 kg. Ses ailes avaient pourtant presque 30 m d'envergure.

Poussées avec les jambes, les pédales abaissent les ailes.

Corde pour lever et baisser les ailes

Charnière principale

Raidisseur

Longeron

Corde

Filet à recouvrir de plumes d'oiseaux

Armature

Nervure

Reconstitution de l'ornithoptère, vue de face

DES OISEAUX ET DES HOMMES
L'idée de voler à la manière des oiseaux a mis du temps à disparaître. L'invraisemblable machine ci-dessus est l'œuvre d'un Français, M. Passat, et date de 1920. En 1932 encore, l'artiste et visionnaire russe Vladimir Tatlin décrivait son planeur aux ailes d'oiseau (à droite) comme «un objet quotidien pour les masses soviétiques».

ILS ONT D'ABORD DÉCOUVERT L'AÉROSTAT...

La première fois que les hommes ont volé, ce n'était pas avec des ailes. En 1783, les frères de Montgolfier fabriquèrent un énorme ballon de papier qu'ils emplirent d'air chaud, moins dense et donc plus léger que l'air frais. Sous le regard ébahi des habitants, il s'éleva majestueusement dans le ciel de Paris, chargé de deux passagers. Quinze jours plus tard, deux autres aérostiers, Jacques Charles et Nicolas Robert, effectuèrent un deuxième vol au-dessus de la capitale. Cette fois, le ballon était en soie caoutchoutée et gonflé d'hydrogène, ce qui se révéla beaucoup plus efficace.

Cercle de charge suspendu aux pattes d'oie du filet qui entourait l'enveloppe

Corde courte pour suspendre la nacelle au cercle de charge

PREMIÈRE MONTGOLFIÈRE
Le 21 novembre 1783, le magnifique ballon bleu et or des frères de Montgolfier s'élevait dans le ciel de Paris. Pilâtre de Rozier et le marquis d'Arlandes devenaient les premiers aéronautes du monde.

UN SUCCÈS
Plus de 400 000 personnes assistèrent au vol historique de Charles et Robert, immortalisé sur cet éventail.

BALLONMANIA
Emballés par... les ballons, les Parisiens s'arrachaient les souvenirs, comme ce verre de lanterne magique : en faisant glisser le décor peint, on avait l'illusion que le ballon décollait.

ASCENSION SOCIALE
A la fin du XIXᵉ siècle, les ascensions en ballon étaient à la mode et la bonne société organisait des concours de distance et de hauteur.

ANTICHOCS
Les premiers ballons touchaient terre avec une grande violence. Aussi certains avaient-ils, sous la nacelle, des amortisseurs en osier.

PLEINS GAZ
Au XIXᵉ siècle, les ballons à gaz, qui avaient une autonomie de plusieurs heures, étaient plus à la mode que les montgolfières, dont le vol s'interrompait dès que l'air se refroidissait. Les aérostiers disposaient de deux cordes de manœuvre : l'une actionnant la soupape du haut du ballon pour libérer le gaz et descendre, l'autre ouvrant le panneau de déchirure pour dégonfler le ballon une fois à terre.

CIGARE VOLANT

Les ballons libres flottaient au gré des vents.
En 1852, Henry Giffard en inventa un
«dirigeable», en forme de cigare, propulsé
par une machine à vapeur. Des engins
comparables, avec un moteur à essence et
une enveloppe à carcasse rigide, ont ensuite
préfiguré les premiers gros avions. Dans
les années 1920, d'immenses dirigeables
traversaient l'Atlantique mais une série
de catastrophes, dues à l'inflammabilité
de l'hydrogène, précipita leur fin.

DANS LA NUIT
L'apparition d'un
dirigeable dans le ciel
d'une ville peut avoir
quelque chose
d'inquiétant.

ZEPPELIN
L'Allemand Zeppelin
était le premier
constructeur mondial
de dirigeables.
Mais son géant,
le *Hindenburg*,
long de 245 m,
fut détruit en 1937
lors d'un effroyable
accident.

Le *Hindenburg*
et un jumbo-
jet à la même
échelle

TÊTE EN L'AIR
Pendant les courses
de ballons, très populaires,
les aéronautes professionnels
n'hésitaient pas à grimper
sur le cercle de charge pour
laisser la place à leurs clients
dans la nacelle.

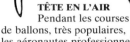

Baromètre de poche
vers 1909

DES HAUTS ET DES BAS
Pour maintenir une altitude constante, il fallait
compenser la déperdition progressive de gaz
en jetant du lest (des sacs de sables); mais pas
trop, sinon le ballon montait; on augmentait
alors l'échappement pour le
faire redescendre. Il fallait tenir
compte aussi du fait qu'à une
certaine altitude le gaz se dilate
et doit être évacué. Equilibre
délicat. La non-maîtrise de
ces éléments abrégeait les vols,
aussi les aérostiers se sont-ils
bientôt munis de statoscopes
barométriques pour contrôler
la pression et savoir où en était
leur ballon.

TENIR L'APPAREIL SUSPENDU

STATOSCOPE
J. RICHARD
25.R.MELINGUE
PARIS
Descente — Montée
N°
NE PAS SOUFFLER DANS LE TUBE NI LE LAISSER FERMÉ

Statoscope
vers 1900

Statoscope
vers 1870

*Ancre pour freiner
ou arrêter le ballon
avant de faire
usage du panneau
de déchirure*

ALAMBIC À HYDROGÈNE
On obtenait l'hydrogène en distillant
de l'acide sulfurique sur les serpentins
de fer d'un alambic.

CAMBRIDGE HYDROGEN INDICATOR

DÉTECTEUR DE FUITES
L'hydrogène est très
inflammable. Ce compteur
permettait de détecter
d'éventuelles fuites.

*Nacelle en osier léger et souple,
amortissant le choc
de l'atterrissage*

... PUIS LE PLANEUR

L'engouement pour les aérostats barra un temps l'avenir des appareils plus lourds que l'air, mais des chercheurs persévéraient. Un Anglais notamment, sir George Cayley, restait convaincu qu'un jour les hommes voleraient avec des ailes. En étudiant le cerf-volant, il avait compris le phénomène de portance et en avait fabriqué un à échelle humaine. Ce fut le premier planeur. En 1856, sur la plage bretonne de Tréfeuntec, un marin nommé Jean-Marie Le Bris réussit à s'élever d'une centaine de mètres à bord d'un planeur tiré par une charrette. Puis, dans les années 1890, Otto Lilienthal, un jeune Allemand courageux, fabriqua une série de petits planeurs légers, qui ressemblaient à nos deltaplanes modernes, et réussit de nombreux vols bien dirigés.

Plan fixe

ANCÊTRES?
Les cerfs-volants existaient en Chine il y a plus de 3 000 ans. L'Europe les découvrit au XIVe siècle.

UN PIONNIER DU VOL
Des photos de Lilienthal en vol furent publiées dans le monde entier, stimulant partout les recherches. Doué d'un esprit analytique et critique pour envisager les problèmes et les résoudre, ce pionnier eut une approche très scientifique du vol. Selon lui, les aviateurs devaient apprendre à planer et à faire corps avec l'air avant de se risquer à utiliser un moteur. Ce conseil joua un grand rôle dans le succès des frères Wright (p. 14).

UN VISIONNAIRE
L'invention de l'aéroplane doit beaucoup au travail de pionnier du baronnet sir George Cayley (1773-1857) qui, le premier, définit le principe de fonctionnement de l'aile. Tous les avions modernes sont basés sur le modèle de son planeur de 1804 : aile soulevée et empennage de stabilisation.

Sir George Cayley

PROJETS DIVERS
Cayley inventa différentes machines volantes, dont un dirigeable et ce planeur pour un passager, baptisé «parachute gouvernable».

Revêtement de coton

Réplique du planeur n° 11 de Lilienthal, datant de 1895

Mouvement de l'aile, de gauche à droite, avec l'écoulement de l'air indiqué en bleu

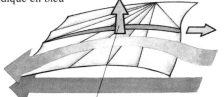

Flèche verticale représentant l'ascension

Nervure en bois pour maintenir le profil de l'aile

COMMENT «MARCHE» UNE AILE

L'écoulement de l'air au-dessus et, de façon moindre, au-dessous d'une aile engendre la portance. Celle-ci varie en fonction de l'angle d'attaque de l'aile, de sa courbure et de sa vitesse. C'est en fait la puissante dépression créée par sa courbure au-dessus de l'aile qui l'«aspire» vers le haut. La petite poussée qui s'exerce en dessous ne joue qu'un faible rôle. Aux basses vitesses, il est nécessaire d'utiliser des ailes à forte courbure. Actuellement, calculs par ordinateur et essais en soufflerie garantissent le profil d'aile idéal pour chaque avion.

UNE FIN TRAGIQUE

Lilienthal se tua en 1896, lors d'une de ses glissades aériennes. Non pas en ville, comme le suggère cette gravure, mais à la campagne, près de Berlin, pris dans une bourrasque.

DEUX AILES

Les frères Wright (p. 14) apprirent beaucoup du biplan inventé vers 1896 par Octave Chanute, un Américain d'origine française.

Cerceau amortisseur en saule

Appuyé sur les avant-bras, Lilienthal bougeait les jambes pour manœuvrer en déplaçant le centre de gravité.

Nervure de saule

CERF-VOLANT GÉANT

Alexander Graham Bell, pionnier du téléphone, fit ce dessin en croyant, comme beaucoup d'autres, que l'avenir était aux cerfs-volants à un passager.

IL RESTAIT À INVENTER UN MOTEUR

Les planeurs avaient des ailes mais ne volaient pas longtemps. Un moteur devenait nécessaire. En 1845, William Henson et John Stringfellow, deux Anglais, avaient déjà construit un modèle réduit d'aéroplane à vapeur. Personne ne sait si leur appareil décolla vraiment, mais c'était le premier pas vers la réalisation d'une machine volante à moteur. Durant le demi-siècle suivant, les ingénieurs furent nombreux à imaginer des engins à vapeur, maquettes ou vrais aéroplanes, qu'ils essayaient de faire décoller. Mais les moteurs à vapeur se révélaient trop faibles ou trop lourds et il fallut attendre l'invention des moteurs à essence, plus puissants et plus légers, pour que le rêve devienne réalité.

LA PUISSANCE DE L'AIGLE
On savait depuis longtemps que, pour voler, la force humaine ne suffisait pas !

Plan mobile, ou gouverne de profondeur

Aile recouverte de soie (6 m d'envergure)

Chaudière

Hauban

Poulie du moteur

Gouverne de direction

Tube de vapeur

Bielle

Cylindre et piston

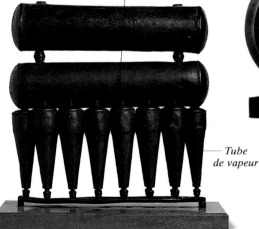

À TOUTE VAPEUR
Pour leur modèle réduit, Henson et Stringfellow construisirent un moteur à vapeur spécial, léger, avec une chaudière de 25 cm³. La chaleur provenait d'un brûleur à naphte ou à alcool et la vapeur montait dans la rangée de tubes coniques, actionnant le piston qui, à son tour, entraînait la poulie en bois. Celle-ci, par l'intermédiaire d'une courroie, faisait alors tourner les deux hélices. Dans la version grandeur nature, qui n'a jamais été construite, la chaudière comportait 50 tubes.

A-T-IL VOLÉ ?
Stringfellow fabriqua en 1848 un autre modèle réduit, qu'il lança le long de 10 m de fil incliné relayé par le moteur. Selon certains comptes rendus, il vola un peu avant de heurter un mur.

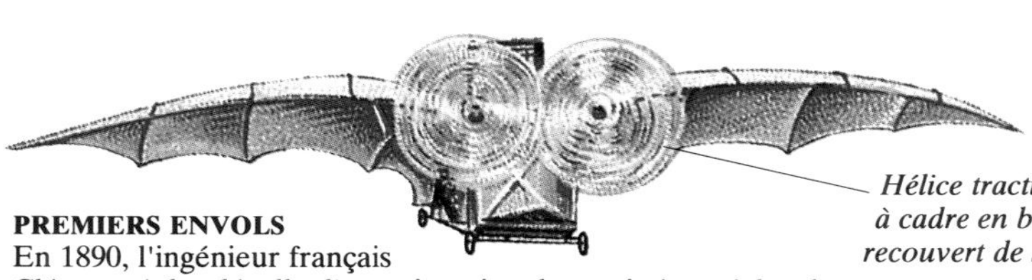

PREMIERS ENVOLS

En 1890, l'ingénieur français Clément Ader décolla d'une vingtaine de centimètres à bord de son *Eole*. Il répéta son exploit à Satory en 1897, en volant à bord de l'*Avion III* sur une centaine de mètres. On lui doit le mot «avion» dont il baptisa ses chauves-souris à vapeur.

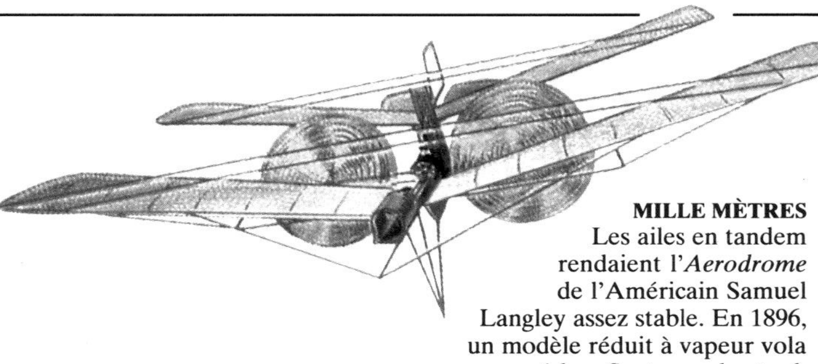

Hélice tractive à cadre en bois recouvert de soie

MILLE MÈTRES

Les ailes en tandem rendaient l'*Aerodrome* de l'Américain Samuel Langley assez stable. En 1896, un modèle réduit à vapeur vola sur 1 km. Sept ans plus tard, Langley le construisit grandeur nature, avec un moteur à essence, mais il s'écrasa deux fois au décollage.

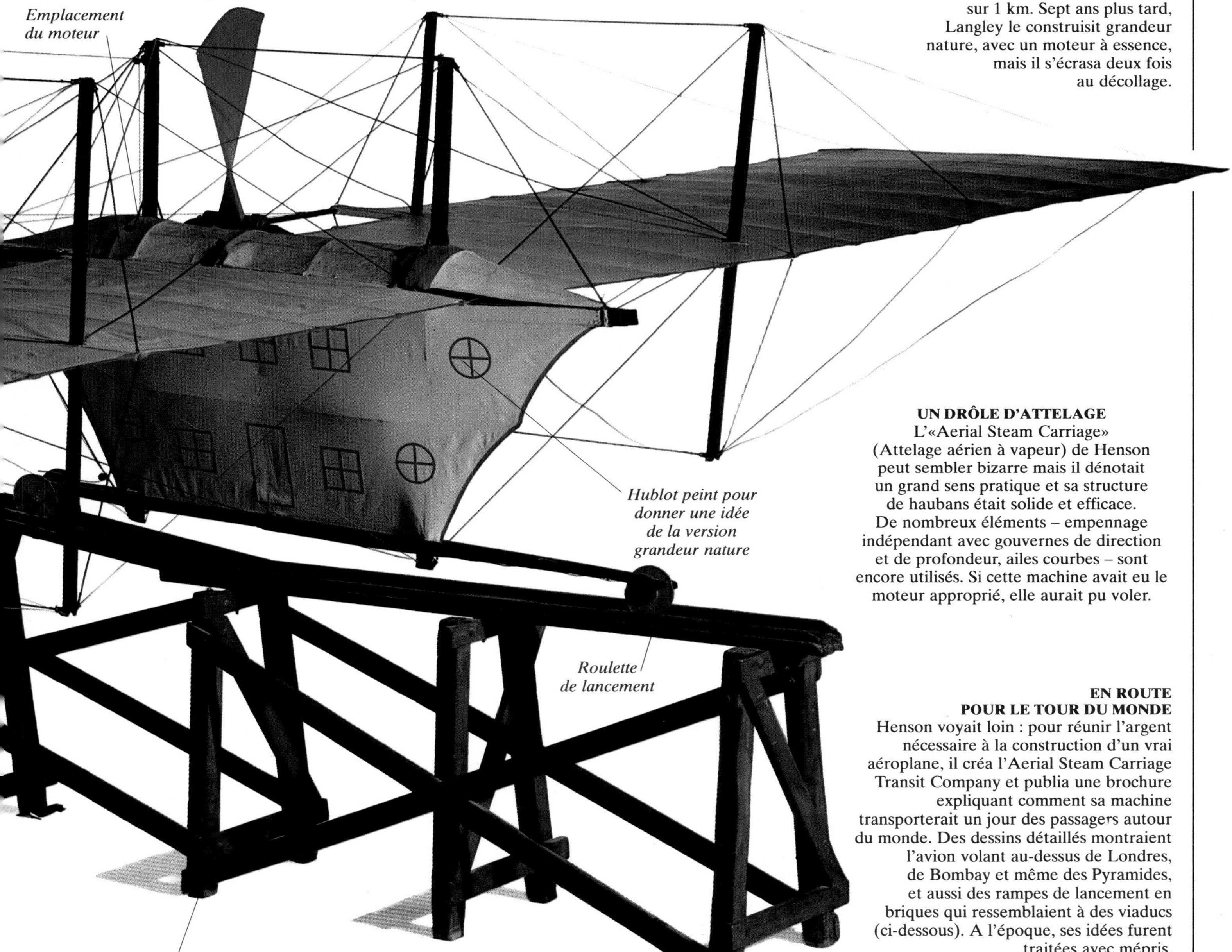

Emplacement du moteur

Hublot peint pour donner une idée de la version grandeur nature

UN DRÔLE D'ATTELAGE

L'«Aerial Steam Carriage» (Attelage aérien à vapeur) de Henson peut sembler bizarre mais il dénotait un grand sens pratique et sa structure de haubans était solide et efficace. De nombreux éléments – empennage indépendant avec gouvernes de direction et de profondeur, ailes courbes – sont encore utilisés. Si cette machine avait eu le moteur approprié, elle aurait pu voler.

Roulette de lancement

EN ROUTE POUR LE TOUR DU MONDE

Henson voyait loin : pour réunir l'argent nécessaire à la construction d'un vrai aéroplane, il créa l'Aerial Steam Carriage Transit Company et publia une brochure expliquant comment sa machine transporterait un jour des passagers autour du monde. Des dessins détaillés montraient l'avion volant au-dessus de Londres, de Bombay et même des Pyramides, et aussi des rampes de lancement en briques qui ressemblaient à des viaducs (ci-dessous). A l'époque, ses idées furent traitées avec mépris.

Rampe de lancement à rainure

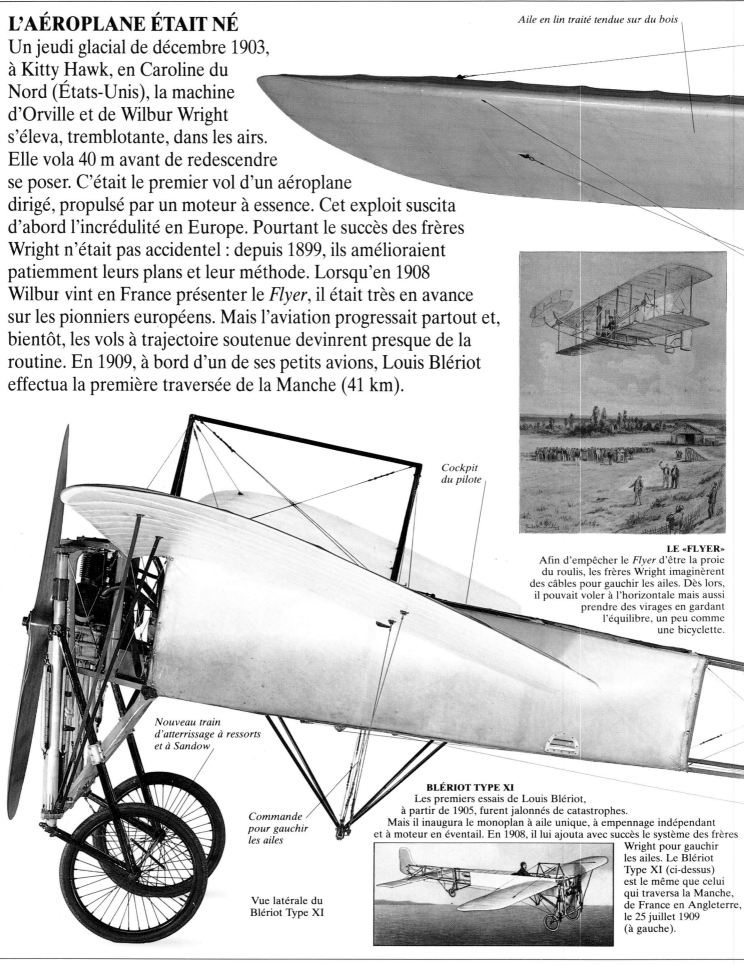

L'AÉROPLANE ÉTAIT NÉ

Un jeudi glacial de décembre 1903, à Kitty Hawk, en Caroline du Nord (États-Unis), la machine d'Orville et de Wilbur Wright s'éleva, tremblotante, dans les airs. Elle vola 40 m avant de redescendre se poser. C'était le premier vol d'un aéroplane dirigé, propulsé par un moteur à essence. Cet exploit suscita d'abord l'incrédulité en Europe. Pourtant le succès des frères Wright n'était pas accidentel : depuis 1899, ils amélioraient patiemment leurs plans et leur méthode. Lorsqu'en 1908 Wilbur vint en France présenter le *Flyer*, il était très en avance sur les pionniers européens. Mais l'aviation progressait partout et, bientôt, les vols à trajectoire soutenue devinrent presque de la routine. En 1909, à bord d'un de ses petits avions, Louis Blériot effectua la première traversée de la Manche (41 km).

Aile en lin traité tendue sur du bois

Cockpit du pilote

LE «FLYER»
Afin d'empêcher le *Flyer* d'être la proie du roulis, les frères Wright imaginèrent des câbles pour gauchir les ailes. Dès lors, il pouvait voler à l'horizontale mais aussi prendre des virages en gardant l'équilibre, un peu comme une bicyclette.

Nouveau train d'atterrissage à ressorts et à Sandow

Commande pour gauchir les ailes

BLÉRIOT TYPE XI
Les premiers essais de Louis Blériot, à partir de 1905, furent jalonnés de catastrophes. Mais il inaugura le monoplan à aile unique, à empennage indépendant et à moteur en éventail. En 1908, il lui ajouta avec succès le système des frères Wright pour gauchir les ailes. Le Blériot Type XI (ci-dessus) est le même que celui qui traversa la Manche, de France en Angleterre, le 25 juillet 1909 (à gauche).

Vue latérale du Blériot Type XI

**Blériot Type XI
vu de face**

MOTEUR DE MOTO
L'inhabituel moteur à 3 cylindres
du Blériot était dû à Alessandro
Anzani, qui avait gonflé un deux
cylindres en V de motocyclette.
Mais pour traverser la Manche,
c'était vraiment juste.

*Aile de
monoplan*

*Gouverne
de profondeur
à l'extrémité du plan
fixe horizontal pour
monter ou descendre*

*Hélice Chauvière
très efficace pour
donner toute
sa puissance à
un moteur limité*

*Moteur Anzani
à 3 cylindres*

LE VAINQUEUR DE LA MANCHE
Par son exploit, Blériot fut célèbre
du jour au lendemain. Avec plus
de 100 commandes de Type XI,
il devint le premier grand
fabricant d'avions.

*Hauban
de manœuvre
de la gouverne
de direction*

*Gouverne
de direction*

*Cellule en bois
souples et solides
(frêne, hickory
et épicéa)*

*Raidisseur
maintenant
la cellule*

*Câble
de commande
de la gouverne
de profondeur*

CES MERVEILLEUX FOUS VOLANTS...

Les exploits des frères Wright, de Blériot et de bien d'autres soulevèrent

un enthousiasme sans précédent. L'aviation était l'invention du siècle ! Les audacieux qui participaient aux premiers meetings d'aviation devenaient aussitôt des superstars : dans la salle d'un théâtre parisien, quand le public reconnut Adolphe Pégoud, un pilote d'acrobatie, il interrompit le spectacle en lui réclamant un discours ! Les prouesses de Louis Paulhan, un autre pionnier, lui rapportèrent, dit-on, plus d'un million de francs. Ces aviateurs méritaient bien leur réputation de héros, avec leurs drôles de machines… Exposés au vent et au froid, il leur fallait absolument des vêtements chauds. Pour traverser la Manche, Blériot portait un bleu de chauffe, mais un équipement spécial fut bientôt créé.

Cuir souple

TENIR LE CAP
Au début, les pilotes naviguaient à vue. Ils avaient besoin de bonnes cartes.

Doublure de laine

LES PIEDS AU CHAUD
Des bottes fourrées de mouton étaient indispensables. A l'origine, c'était des cuissardes, que chacun retaillait à sa convenance.

Épaisse semelle de caoutchouc antidérapant

TENUE COUPE-VENT
Ce costume de 1911 était doublé de molleton ou de ouatine.

PANOPLIE DE 1916
Voici un équipement de pilote du British Royal Flying Corps, pendant la Première Guerre mondiale. On pensait alors que le cuir était ce qu'il y avait de mieux. Il fut bientôt remplacé par la combinaison «Sidcot», en coton ciré doublé de soie et de fourrure.

Col montant

Fixe-lunettes

LA TÊTE DANS LES NUAGES
Les casques passe-montagnes étaient quelquefois utilisés pour les vols à haute altitude.

ATTENTION LES YEUX!
Les lunettes protégeaient les yeux du vent, des projections d'huile et des incendies. Cette paire en verre teinté évitait aussi l'éblouissement.

Gants de cuir fourrés de mitaines en mouton

MAINS À L'ABRI DU GEL
Dans les courants d'air, les mains auraient vite gelé aux commandes sans ces gants chauds.

Poignets boutonnés

TENUE HERMÉTIQUE
Pour les vols plus rapides et plus longs de la Grande Guerre, les pilotes portaient des costumes plus hermétiques, surtout au cou, aux poignets et aux chevilles.

UN, DEUX, TROIS JEUX D'AILES ÉTAIENT POSSIBLES

Monoplan, biplan, triplan : chacun avait ses partisans. Blériot avait démontré l'efficacité des monoplans (à un seul jeu d'ailes)

et, dans les années qui suivirent sa traversée de la Manche (pp. 14-15), ils furent les vedettes des meetings aériens. Mais nombreux furent ceux qui jugèrent les monoplans moins solides que les biplans. En 1912, les autorités militaires françaises et britanniques décidèrent de les interdire à tout jamais. Les biplans semblaient représenter un meilleur compromis entre la solidité et une moindre résistance au vent. Au début de la Première Guerre mondiale, qui marqua un essor considérable de l'aviation, presque tous les avions de chasse et de reconnaissance étaient des biplans. L'aéroplane était désormais une machine relativement sophistiquée et fiable.

Radiateur pour l'eau de refroidissement du moteur

Hélice en bois

Petite hélice de direction de la «pompe de Rotherham» qui alimente le moteur en carburant

FOKKER À TROIS AILES
Construit pendant la guerre, le Fokker allemand était «redoutable à voir et grimpait comme un ascenseur». Ce triplan était aussi très maniable mais la résistance aérodynamique le ralentissait et l'armée de l'air l'abandonna pendant l'été 1918.

Figure de renversement

HAUTE VOLTIGE
Les combats entre avions de chasse de la Première Guerre témoignaient des progrès fulgurants des appareils. On raconte que, pour esquiver une poursuite ou monter une attaque éclair, les pilotes exécutaient la figure acrobatique dite d'Immelman.

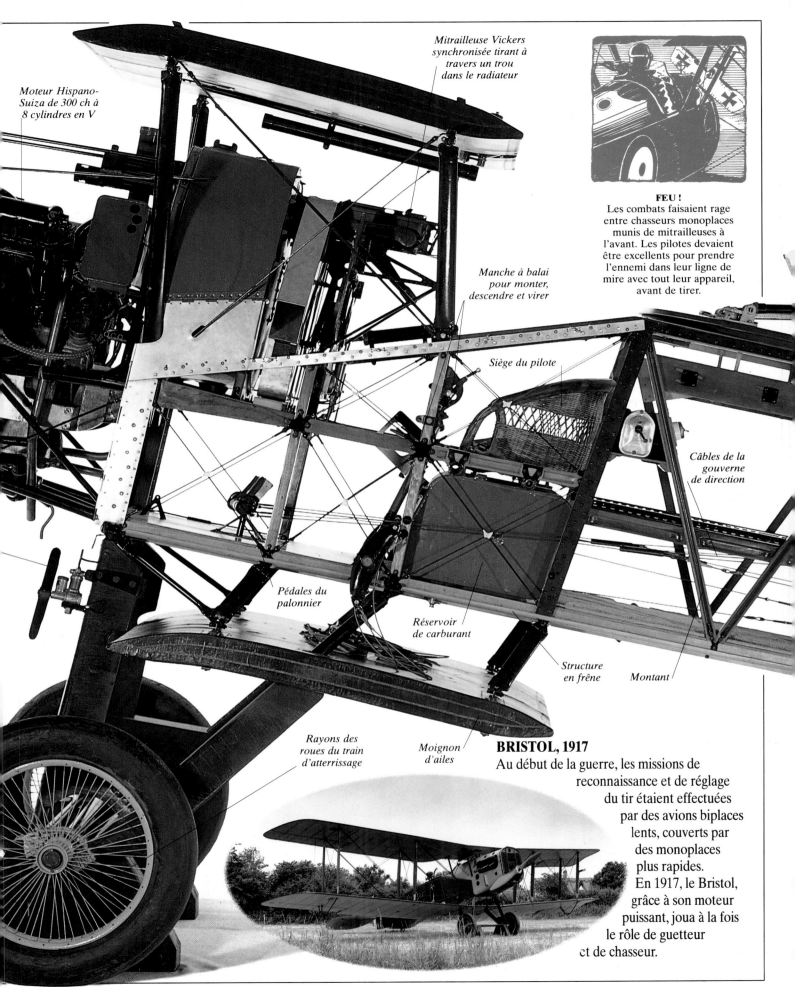

Moteur Hispano-
Suiza de 300 ch à
8 cylindres en V

Mitrailleuse Vickers
synchronisée tirant à
travers un trou
dans le radiateur

FEU !
Les combats faisaient rage
entre chasseurs monoplaces
munis de mitrailleuses à
l'avant. Les pilotes devaient
être excellents pour prendre
l'ennemi dans leur ligne de
mire avec tout leur appareil,
avant de tirer.

Manche à balai
pour monter,
descendre et virer

Siège du pilote

Câbles de la
gouverne
de direction

Pédales du
palonnier

Réservoir
de carburant

Structure
en frêne

Montant

Rayons des
roues du train
d'atterrissage

Moignon
d'ailes

BRISTOL, 1917
Au début de la guerre, les missions de
reconnaissance et de réglage
du tir étaient effectuées
par des avions biplaces
lents, couverts par
des monoplaces
plus rapides.
En 1917, le Bristol,
grâce à son moteur
puissant, joua à la fois
le rôle de guetteur
et de chasseur.

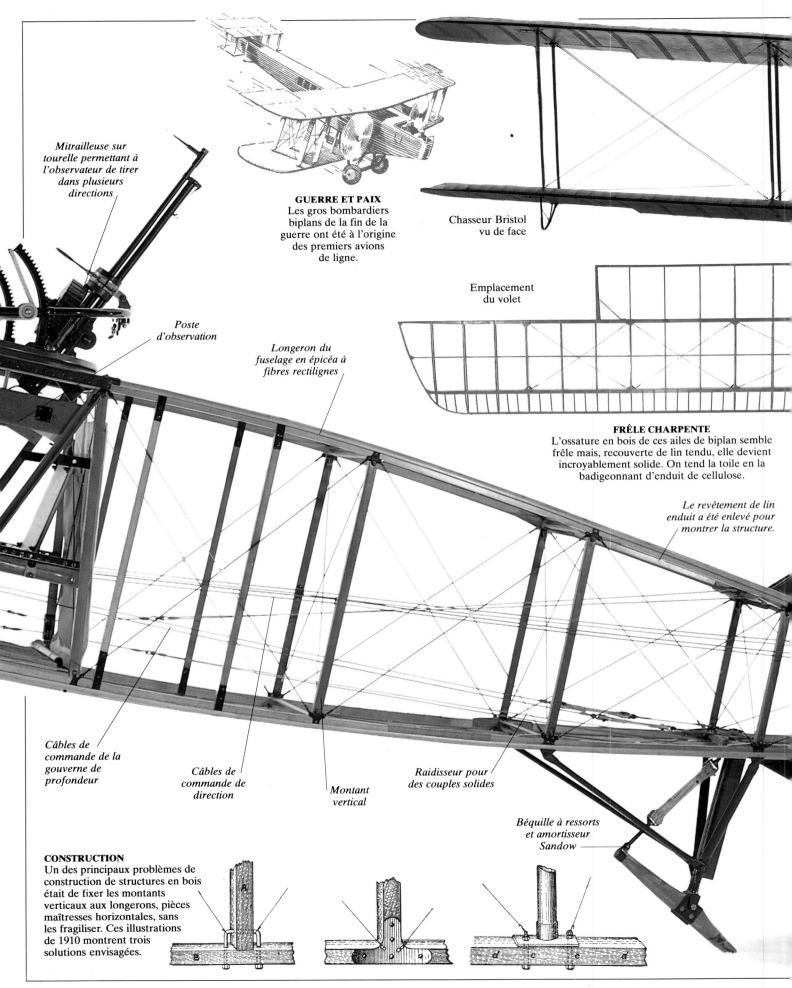

Mitrailleuse sur tourelle permettant à l'observateur de tirer dans plusieurs directions

GUERRE ET PAIX
Les gros bombardiers biplans de la fin de la guerre ont été à l'origine des premiers avions de ligne.

Chasseur Bristol vu de face

Emplacement du volet

Poste d'observation

Longeron du fuselage en épicéa à fibres rectilignes

FRÊLE CHARPENTE
L'ossature en bois de ces ailes de biplan semble frêle mais, recouverte de lin tendu, elle devient incroyablement solide. On tend la toile en la badigeonnant d'enduit de cellulose.

Le revêtement de lin enduit a été enlevé pour montrer la structure.

Câbles de commande de la gouverne de profondeur

Câbles de commande de direction

Montant vertical

Raidisseur pour des couples solides

Béquille à ressorts et amortisseur Sandow

CONSTRUCTION
Un des principaux problèmes de construction de structures en bois était de fixer les montants verticaux aux longerons, pièces maîtresses horizontales, sans les fragiliser. Ces illustrations de 1910 montrent trois solutions envisagées.

Mât

Hauban

QUELLE RÉSISTANCE !
Avec leurs ailes doubles et
tous leurs montants et haubans,
les biplans avaient une grande
surface frontale. La traînée
les ralentissait donc beaucoup.
Même avec un moteur puissant,
le *Bristol* atteignait difficilement
les 180 km/h.

Raidisseur interne

Structure de l'aile

INCROYABLE SOLIDITÉ
Mâts et haubans reliaient l'aile haute et
l'aile basse, leur conférant une grande
solidité. Et un hauban interne les aidait
à résister à la pression de l'air.

*Gouverne
de direction*

POUR LEUR GOUVERNE
Les biplans comme
le *T Bristol* avaient une
grande gouverne de
direction pour pouvoir
prendre des virages précis
à petite vitesse.

Partie arrière du
chasseur Bristol

*Supports du
plan fixe
horizontal*

HYDRAVIONS
Après guerre, les biplans devinrent de
plus en plus gros. Ces énormes hydravions
Short Sarafand datent de 1932. Ils
pouvaient voler pendant 11 heures et
servaient de patrouilleurs.

EN VINGT ANS, L'AVIATION FIT D'IMMENSES PROGRÈS

Lors du premier meeting international d'aviation à Reims, en août 1909, les aéroplanes étaient encore des machines lentes, fragiles, à carlingue ouverte, en bois léger, avec un moteur de faible puissance et des commandes rudimentaires. Aucun ne dépassait les 75 km/h ni les 150 m d'altitude. Quatre ans plus tard, ils volaient déjà à plus de 200 km/h et à 6 000 m d'altitude, accomplissant figures acrobatiques, loopings et tonneaux (p. 41). Vers 1929, les coucous en bois faisaient presque partie du passé tandis que les nouveaux avions tout en métal, aux fuselages et aux ailes aérodynamiques, sillonnaient le ciel à des vitesses jusque-là inimaginables.

DEPERDUSSIN 1909
Avant guerre, Deperdussin était l'un des meilleurs fabricants d'avions et ses monoplans aérodynamiques raflèrent de nombreux records de vitesse. Celui-ci comporte pourtant bien des caractéristiques des tout premiers avions : commande latérale pour gauchir les ailes (p. 14), moteur de faible puissance et longs haubans.

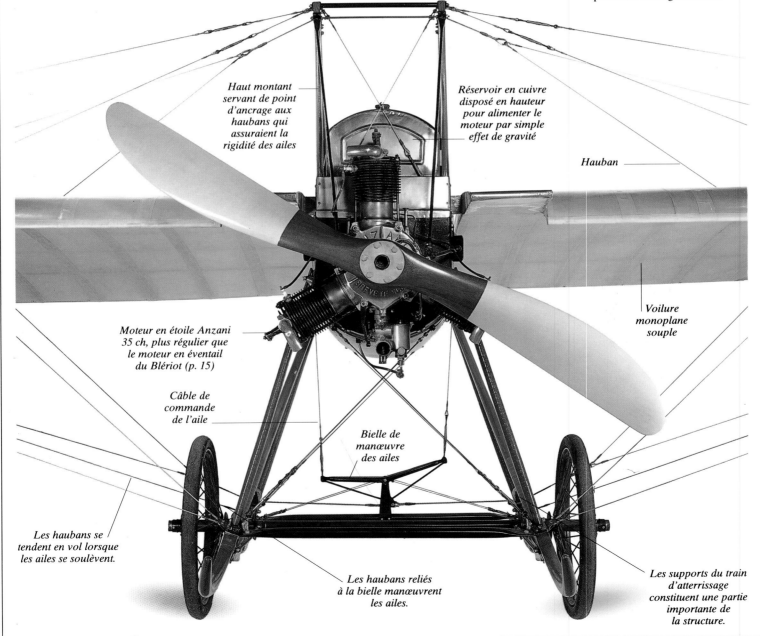

Haut montant servant de point d'ancrage aux haubans qui assuraient la rigidité des ailes

Réservoir en cuivre disposé en hauteur pour alimenter le moteur par simple effet de gravité

Hauban

Voilure monoplane souple

Moteur en étoile Anzani 35 ch, plus régulier que le moteur en éventail du Blériot (p. 15)

Câble de commande de l'aile

Bielle de manœuvre des ailes

Les haubans se tendent en vol lorsque les ailes se soulèvent.

Les haubans reliés à la bielle manœuvrent les ailes.

Les supports du train d'atterrissage constituent une partie importante de la structure.

SOPWITH 1917

Avant guerre, la technologie aéronautique avait beaucoup évolué, si bien que les chasseurs biplans étaient beaucoup plus rapides et plus maniables. Des moteurs rotatifs légers (pp. 28-29) propulsaient, par exemple, ce chasseur Sopwith Pup à 185 km/h et des commandes améliorées lui permettaient de participer à d'intenses combats aériens. Pour virer, le pilote n'avait plus besoin de gauchir les ailes : il soulevait ou abaissait simplement des «ailerons» placés aux extrémités de la voilure rigide (pp. 40-41).

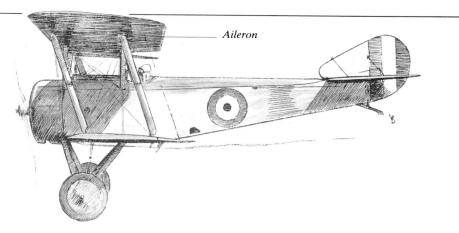

Aileron

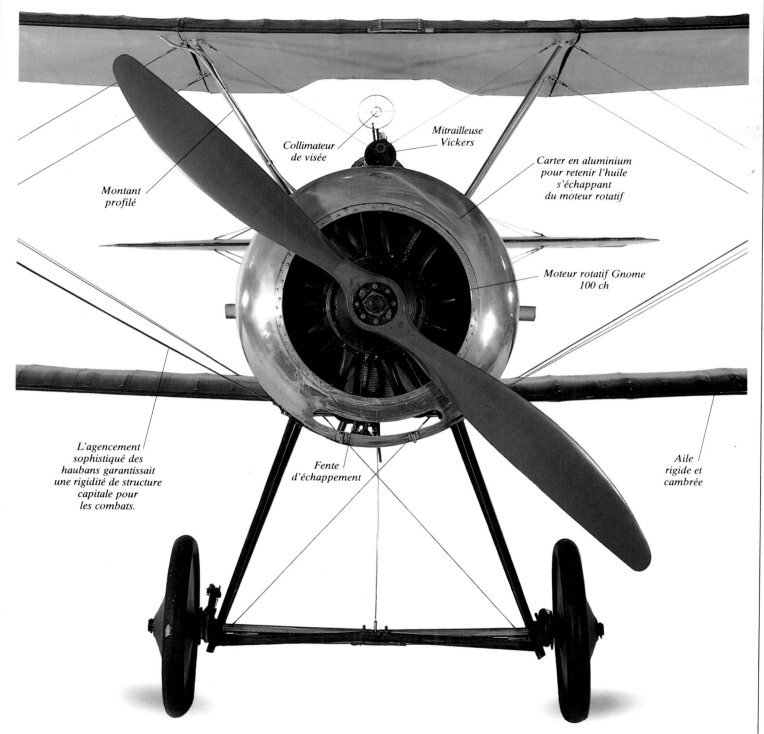

Montant
profilé

Collimateur
de visée

Mitrailleuse
Vickers

Carter en aluminium
pour retenir l'huile
s'échappant
du moteur rotatif

Moteur rotatif Gnome
100 ch

L'agencement
sophistiqué des
haubans garantissait
une rigidité de structure
capitale pour
les combats.

Fente
d'échappement

Aile
rigide et
cambrée

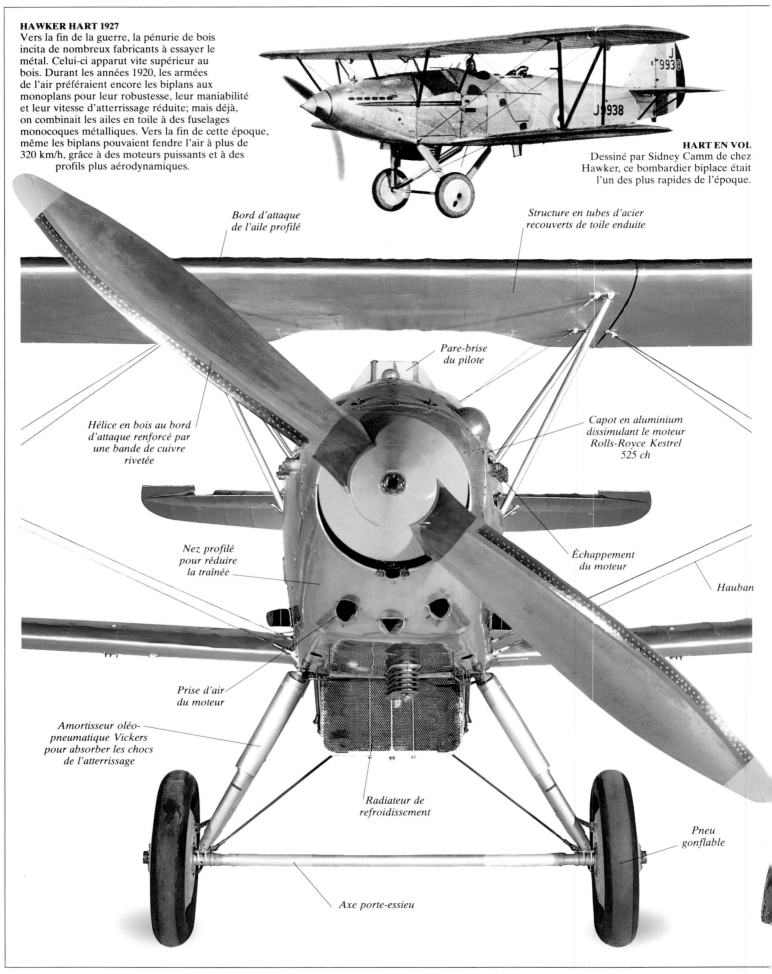

HAWKER HART 1927
Vers la fin de la guerre, la pénurie de bois incita de nombreux fabricants à essayer le métal. Celui-ci apparut vite supérieur au bois. Durant les années 1920, les armées de l'air préféraient encore les biplans aux monoplans pour leur robustesse, leur maniabilité et leur vitesse d'atterrissage réduite; mais déjà, on combinait les ailes en toile à des fuselages monocoques métalliques. Vers la fin de cette époque, même les biplans pouvaient fendre l'air à plus de 320 km/h, grâce à des moteurs puissants et à des profils plus aérodynamiques.

HART EN VOL
Dessiné par Sidney Camm de chez Hawker, ce bombardier biplace était l'un des plus rapides de l'époque.

Bord d'attaque de l'aile profilé

Structure en tubes d'acier recouverts de toile enduite

Hélice en bois au bord d'attaque renforcé par une bande de cuivre rivetée

Pare-brise du pilote

Capot en aluminium dissimulant le moteur Rolls-Royce Kestrel 525 ch

Nez profilé pour réduire la traînée

Échappement du moteur

Hauban

Prise d'air du moteur

Amortisseur oléo-pneumatique Vickers pour absorber les chocs de l'atterrissage

Radiateur de refroidissement

Pneu gonflable

Axe porte-essieu

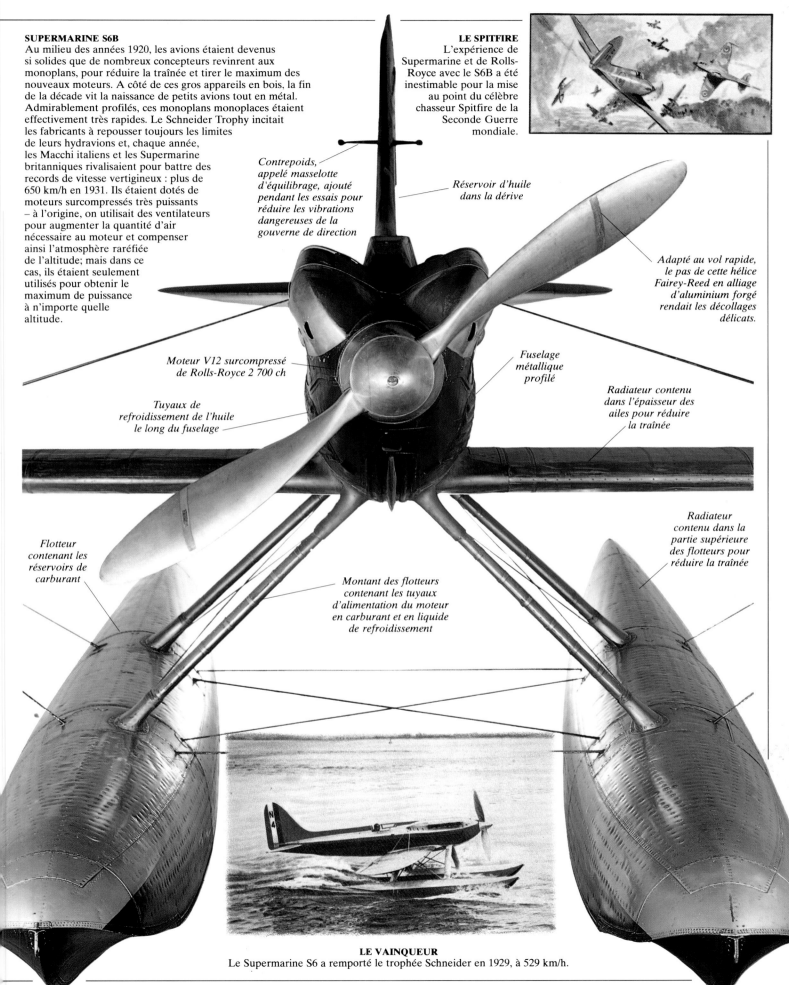

SUPERMARINE S6B

Au milieu des années 1920, les avions étaient devenus si solides que de nombreux concepteurs revinrent aux monoplans, pour réduire la traînée et tirer le maximum des nouveaux moteurs. A côté de ces gros appareils en bois, la fin de la décade vit la naissance de petits avions tout en métal. Admirablement profilés, ces monoplans monoplaces étaient effectivement très rapides. Le Schneider Trophy incitait les fabricants à repousser toujours les limites de leurs hydravions et, chaque année, les Macchi italiens et les Supermarine britanniques rivalisaient pour battre des records de vitesse vertigineux : plus de 650 km/h en 1931. Ils étaient dotés de moteurs surcompressés très puissants – à l'origine, on utilisait des ventilateurs pour augmenter la quantité d'air nécessaire au moteur et compenser ainsi l'atmosphère raréfiée de l'altitude; mais dans ce cas, ils étaient seulement utilisés pour obtenir le maximum de puissance à n'importe quelle altitude.

LE SPITFIRE
L'expérience de Supermarine et de Rolls-Royce avec le S6B a été inestimable pour la mise au point du célèbre chasseur Spitfire de la Seconde Guerre mondiale.

Contrepoids, appelé masselotte d'équilibrage, ajouté pendant les essais pour réduire les vibrations dangereuses de la gouverne de direction

Réservoir d'huile dans la dérive

Adapté au vol rapide, le pas de cette hélice Fairey-Reed en alliage d'aluminium forgé rendait les décollages délicats.

Moteur V12 surcompressé de Rolls-Royce 2 700 ch

Fuselage métallique profilé

Radiateur contenu dans l'épaisseur des ailes pour réduire la traînée

Tuyaux de refroidissement de l'huile le long du fuselage

Radiateur contenu dans la partie supérieure des flotteurs pour réduire la traînée

Flotteur contenant les réservoirs de carburant

Montant des flotteurs contenant les tuyaux d'alimentation du moteur en carburant et en liquide de refroidissement

LE VAINQUEUR
Le Supermarine S6 a remporté le trophée Schneider en 1929, à 529 km/h.

À QUOI RESSEMBLE UN AVION TOUT NU

Aujourd'hui, les monomoteurs légers servent à l'entraînement des pilotes et au transport dans les régions difficiles d'accès. On les utilise aussi pour le plaisir comme avions de tourisme. Ils sont très simples : train d'atterrissage fixe, aile unique au-dessus de la carlingue, fuselage et empennage simples, et petit moteur à essence pour actionner l'hélice frontale. De conception très classique, ils ressemblent aux avions des pionniers. Seuls leurs matériaux, alliages d'aluminium et plastiques, sont vraiment nouveaux.

VOL HISTORIQUE
A bord du célèbre *Spirit of Saint Louis*, Charles Lindbergh effectua en 1927 la première traversée en solitaire de l'Atlantique.

Réservoir pour 2 heures et demie d'autonomie, soit 190 km

Petit moteur Rotax 2 cylindres

LE SNOWBIRD
La forme de base et les principaux éléments des petits avions n'ont guère changé depuis la dernière guerre. Mais ils ont bénéficié récemment de la technologie des U.L.M. (pp. 62-63) : le Snowbird est un avion à la fois très léger et à peine plus cher qu'une voiture.

LE MOTEUR
Comme ceux des avions à réaction, les moteurs à pistons des petits avions fonctionnent à l'essence.

Superstructure de la carlingue en aluminium léger dont la partie supérieure supporte les ailes

Train d'atterrissage fixe

Bord d'attaque en feuille d'aluminium en D pour résister à la torsion

LES INSTRUMENTS
Sur le tableau de bord du Snowbird, les écrans digitaux et l'électronique remplacent les compteurs et les câbles traditionnels.

LES AILES
A la fois légères et solides, elles sont conçues pour donner à chaque avion la sustentation requise. Quel que soit l'appareil, les pressions exercées sur les ailes sont considérables. Leur longueur, ou envergure, ainsi que leur épaisseur, ou cambrure, sont donc très importantes. Celles du Snowbird, en tissu tendu sur de l'aluminium, sont exceptionnellement simples, mais le positionnement des nervures et des longerons doit être soigneusement calculé.

L'HÉLICE
La plupart des avions légers sont équipés d'une hélice bipale en contre-plaqué qui les tire en avant.

L'absence d'ailerons simplifie la forme de l'aile.

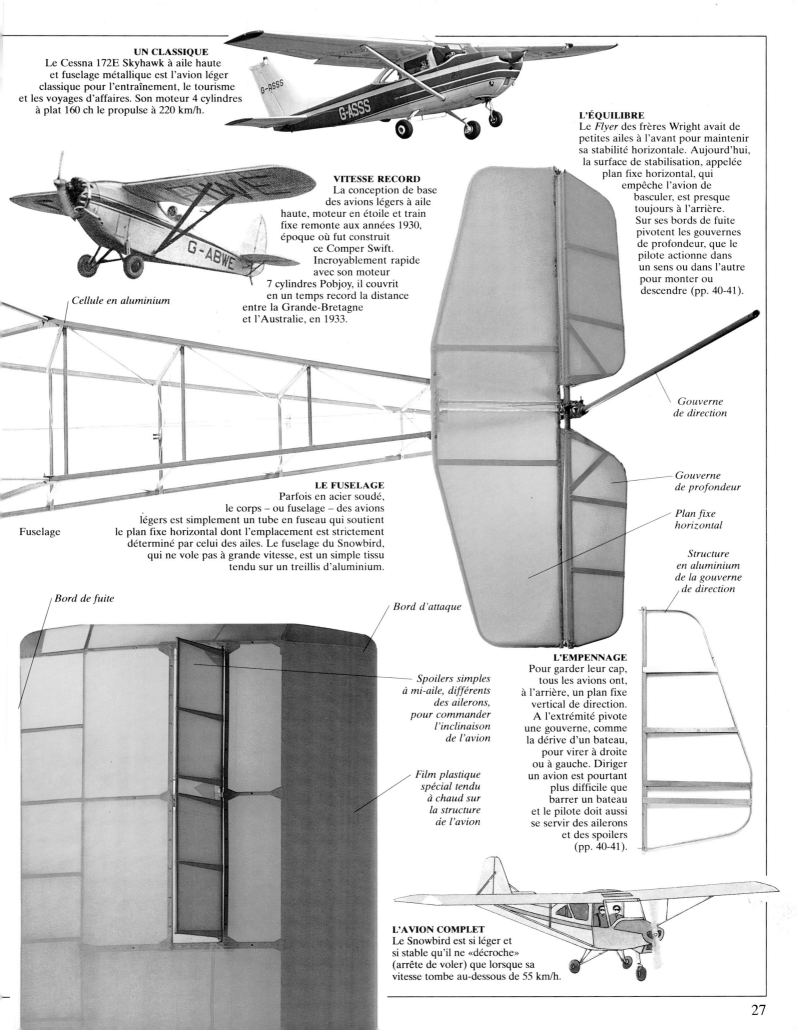

UN CLASSIQUE
Le Cessna 172E Skyhawk à aile haute
et fuselage métallique est l'avion léger
classique pour l'entraînement, le tourisme
et les voyages d'affaires. Son moteur 4 cylindres
à plat 160 ch le propulse à 220 km/h.

L'ÉQUILIBRE
Le *Flyer* des frères Wright avait de
petites ailes à l'avant pour maintenir
sa stabilité horizontale. Aujourd'hui,
la surface de stabilisation, appelée
plan fixe horizontal, qui
empêche l'avion de
basculer, est presque
toujours à l'arrière.
Sur ses bords de fuite
pivotent les gouvernes
de profondeur, que le
pilote actionne dans
un sens ou dans l'autre
pour monter ou
descendre (pp. 40-41).

VITESSE RECORD
La conception de base
des avions légers à aile
haute, moteur en étoile et train
fixe remonte aux années 1930,
époque où fut construit
ce Comper Swift.
Incroyablement rapide
avec son moteur
7 cylindres Pobjoy, il couvrit
en un temps record la distance
entre la Grande-Bretagne
et l'Australie, en 1933.

Cellule en aluminium

*Gouverne
de direction*

*Gouverne
de profondeur*

LE FUSELAGE
Parfois en acier soudé,
le corps – ou fuselage – des avions
légers est simplement un tube en fuseau qui soutient
le plan fixe horizontal dont l'emplacement est strictement
déterminé par celui des ailes. Le fuselage du Snowbird,
qui ne vole pas à grande vitesse, est un simple tissu
tendu sur un treillis d'aluminium.

*Plan fixe
horizontal*

Fuselage

*Structure
en aluminium
de la gouverne
de direction*

Bord de fuite

Bord d'attaque

*Spoilers simples
à mi-aile, différents
des ailerons,
pour commander
l'inclinaison
de l'avion*

L'EMPENNAGE
Pour garder leur cap,
tous les avions ont,
à l'arrière, un plan fixe
vertical de direction.
A l'extrémité pivote
une gouverne, comme
la dérive d'un bateau,
pour virer à droite
ou à gauche. Diriger
un avion est pourtant
plus difficile que
barrer un bateau
et le pilote doit aussi
se servir des ailerons
et des spoilers
(pp. 40-41).

*Film plastique
spécial tendu
à chaud sur
la structure
de l'avion*

L'AVION COMPLET
Le Snowbird est si léger et
si stable qu'il ne «décroche»
(arrête de voler) que lorsque sa
vitesse tombe au-dessous de 55 km/h.

27

LES MOTEURS ONT FAIT UN GRAND BOOM!

L'apparition des moteurs à pistons d'automobiles, au début du siècle, a rendu possibles les vols propulsés. D'ingénieux pionniers avaient modifié des moteurs de voitures ou de motos à refroidissement par air pour en équiper leurs engins volants. Mais ils s'essoufflaient ou serraient en vol. Quant aux moteurs à refroidissement par eau, ils étaient trop lourds. Aussi les aviateurs ont-ils commencé à construire les leurs, à la fois puissants, légers et de plus en plus sophistiqués. Depuis le développement des moteurs à réaction, peu après la Seconde Guerre mondiale, ceux à pistons ne sont plus utilisés que pour les avions légers (pp. 26-27).

L'ÉTINCELLE
Sur les avions comme sur les voitures, les moteurs à pistons ont des bougies pour «allumer» le mélange et pousser le piston.

Echappement

Carburateur

Enveloppe de refroidissement en cuivre autour du cylindre

CHEMISE D'EAU
Pour ne pas peser trop lourd, les gros moteurs à refroidissement par eau, comme cet ENV de 1910, avaient une fine enveloppe en cuivre soudée sur les cylindres.

Cylindre découpé pour laisser voir le piston

Tuyau transportant le mélange de carburant et d'air du carburateur aux cylindres

En brûlant, le carburant fait descendre le piston dans le cylindre et le vilebrequin, en tournant, le fait remonter.

Carter contenant le vilebrequin actionné par les pistons

Collerette du tuyau d'échappement

Cylindre en fonte avec des ailettes qui augmentent la surface de métal exposée à la circulation d'air et améliorent ainsi le refroidissement

EN ÉVENTAIL
Comme la plupart des premiers moteurs d'avions, cet Anzani en éventail de 1910 était à l'origine celui d'une moto. Anzani avait ajouté un cylindre au milieu d'un moteur en V pour pousser des pointes et grimper les côtes. Blériot utilisa un moteur comme celui-ci pour traverser la Manche. Ses 25 ch étaient un peu justes et il se serait grippé, dit-on, si une averse salutaire ne l'avait refroidi.

Flotteur de contrôle du niveau de carburant dans le carburateur

Carburateur pour alimenter les cylindres en carburant au taux convenu

Emplacement de l'hélice actionnée par le vilebrequin

28

ROTATIF

Les cylindres des premiers moteurs étaient soit en ligne et nécessitaient un lourd système de refroidissement par eau, soit en étoile et se refroidissaient très mal. En 1909, les frères Seguin ont introduit le moteur rotatif. Comme le moteur en étoile, il avait des cylindres en anneau mais ceux-ci tournaient avec l'hélice tandis que la bielle centrale restait immobile.

Vilebrequin ici immobile tandis que les cylindres tournent autour

Tuyau d'arrivée transportant le mélange du carter au cylindre

Soupape d'échappement du carburant et des gaz brûlés

Lorsqu'ils tournent, les cylindres sont refroidis par la circulation d'air.

Le carter tourne avec les cylindres.

Cylindre finement usiné à parois légères (1 mm d'épaisseur)

GÉANT DES AIRS

Tous les avions à hélice n'étaient pas propulsés par des moteurs à pistons. Cet énorme avion amphibie Saunders Roe Princess utilisait 6 gros turbopropulseurs à réaction (p. 36) pour actionner 12 hélices.

Les bielles sont toutes reliées à une seule couronne autour du vilebrequin.

LÉGER

Les moteurs à pistons des avions légers sont aujourd'hui très compacts. Ce Weslake pèse seulement 8,4 kg tout en étant aussi puissant que l'Anzani de Blériot qui pesait plus de 70 kg.

Carburateur

Arbre de l'hélice

Cylindre

29

LES HÉLICES AUSSI ONT DÛ S'ADAPTER

Les hélices n'ont guère changé depuis l'époque des pionniers. Il ne faut pas croire pour autant qu'elles «rament» simplement dans l'air : à l'image de la voilure qui fait s'élever les avions, elles jouent le rôle d'ailes en vrille qui les poussent en avant. Leur forme est donc tout aussi décisive que celle des ailes et une évolution subtile a spectaculairement amélioré leur efficacité. L'aluminium forgé a remplacé le contre-plaqué des débuts et elles ont gagné en force en s'adaptant à la puissance toujours accrue des moteurs.

WRIGHT 1909
Les frères Wright construisirent leur propre soufflerie pour expérimenter les ailes et les hélices. Ils savaient qu'il fallait tordre la pale pour obtenir un angle réduit à l'extrémité.

PHILLIPS 1893
Ce modèle ancien, dessiné par Horatio Phillips, spécialiste de voilure, ressemble plutôt à une hélice de navire. Mais il était efficace au point de soulever, en vol captif, un avion expérimental de 180 kg.

Le pas est plus incliné à proximité du moyeu.

Pale en bandes de bois

L'extrémité tourne plus loin et plus vite que le moyeu.

Sens de rotation

Moyeu

Bord d'attaque

Bord de fuite

PARAGON 1909
Le profil de cette pale expérimentale est bon mais une telle courbe n'était pas nécessaire pour les vitesses réduites de l'époque.

VRILLE
La poussée induite par une hélice varie selon sa vitesse et l'angle – le pas – auquel ses pales fendent l'air. Comme les extrémités tournent plus vite que le moyeu, la pale est vrillée pour que le pas, important au centre, soit plus réduit à l'extérieur. Ceci permet d'avoir une poussée égale sur toute la longueur.

Chemise de cuivre pour protéger la pale des gerbes d'eau

LANG 1917
Cette longue hélice en contre-plaqué était adaptée à un moteur Sunbeam 225 ch sur un hydravion Short 184. Les extrémités chemisées de cuivre la protégeaient de l'usure.

WOTAN 1917
Le contre-plaqué de ce beau modèle allemand est nettement visible : des plaques de bois étaient collées ensemble, puis sculptées en un profil lisse et effilé.

PALES SUPPLÉMENTAIRES
Avec la puissance accrue des moteurs, il fallait trois ou quatre pales pour supporter la surcharge.

Rivet pour fixer l'enveloppe de cuivre

Plaque d'épicéa et de frêne

Tourillon du pas variable

HELE-SHAW-BEACHAM 1928
Dans l'idéal, un avion a besoin d'hélices à grand pas pour voler vite et à petit pas pour une bonne poussée au décollage. A la fin des années 1920, on a commencé à se servir de pales dont l'angle pouvait varier selon les circonstances. Les hélices à pas variable étaient mues par la pression d'huile du moteur.

FAIREY-REED 1922
En 1920, S. A. Reed lança les hélices en aluminium forgé qui, peu à peu, allaient remplacer les hélices en bois, moins robustes.

INTÉGRALE 1919
L'enveloppe de cuivre qui recouvre cette pièce en bois la protégeait des balles de mitrailleuses. Sur les avions équipés d'une mitrailleuse tirant à l'intérieur du disque de l'hélice, il existait en France un système de gouttières qui faisait dévier les balles de leur trajectoire.

Pale pivotante pour donner le bon pas à l'atterrissage aussi bien qu'à vitesse élevée

UNDUCTED FANS 1986
Récemment, pour économiser du carburant, les fabricants américains de petits moteurs à réaction ont réutilisé des hélices qui tournent à l'arrière, les «unducted fans».

LE CIEL EST À NOUS !

L'entre-deux-guerres a été l'âge héroïque de l'aviation : première traversée de l'Atlantique par Alcock et Brown (p. 42), traversée en solitaire par Lindbergh (p. 26) et survol épique du Pacifique par Kingsford Smith en 1928. Ces exploits inspirant confiance, des transports réguliers de passagers commencèrent à voir le jour.

Des compagnies se créaient partout dans le monde et de plus en plus de gens recevaient leur baptême de l'air. Mais c'est aux États-Unis que ce phénomène prit le plus d'ampleur : le financement de nouvelles lignes par la poste aérienne entraîna des progrès fulgurants dans l'aéronautique. En 1933, Boeing lançait le 247D, premier avion de ligne moderne.

STARS DANS LE CIEL
«Branchés», les voyages aériens! Les premiers passagers du prestigieux Paris-Londres étaient souvent des stars du cinéma américain ou du sport.

L'AÉROPORT DE CROYDON
Au début, pour atterrir, il n'y avait qu'une piste d'herbe et quelques tentes. Le premier aéroport moderne fut construit à Croydon, près de Londres, en 1928.

Poste avec pilotage automatique pour soulager les pilotes pendant les longs vols – un équipement exceptionnel pour les années 1930

Le revêtement métallique rendait l'avion assez solide pour que l'on puisse se passer de haubans et de mâts.

VOICI VOTRE COMMANDANT
A bord des premiers avions de la Instone Steamship Co., en 1919, les pilotes portaient déjà les uniformes bleus des officiers de marine, comme aujourd'hui tous les pilotes de ligne.

BOEING 247D
A la pointe de son époque, ce monoplan avait les ailes lisses, un revêtement métallique profilé et un train d'atterrissage rentrant en vol. La traînée était donc considérablement réduite et il atteignait presque les 300 km/h (plus que les chasseurs). Les passagers traversaient d'une traite les États-Unis, en moins de 20 heures.

Tube à pression de l'indicateur de vitesse

Boeing 247D vu de face

Boeing 247D en vol, train rentré

NI8E

De Havilland Dragon

VOYAGEURS INTRÉPIDES

Les premiers avions de ligne étaient minuscules
à côté des nôtres. Le De Havilland Dragon
(ci-dessus et à droite), l'un des plus petits,
ne transportait que huit passagers. Et le gros Boeing
247D seulement dix. Jusque dans les années 1930,
où les rangées de sièges ont été standardisées,
on voyageait dans des fauteuils en osier non fixés.
Même ensuite, les longs trajets, sans cabine
pressurisée (pp. 34-35), étaient de rudes épreuves :
les vols se déroulaient plutôt à basse altitude et l'on
était secoué d'un bout à l'autre par les turbulences;
si l'avion montait pour éviter le mauvais temps,
il fallait subir le froid glacial et le mal d'altitude.

Cabine du De Havilland Dragon

*Moteur en étoile 550 ch
«Wasp» de Pratt
et Whitney, très fiable,
à refroidissement
par air*

*Hélice à pas
variable (p. 31)
pour voler vite et
atterrir lentement*

*Plan fixe
horizontal*

L'ÉGYPTE EN HYDRAVION

Ce gros appareil permettait de couvrir
d'immenses distances et d'aller dans
les pays exotiques. Étant donné la
rareté et l'éloignement des aéroports,
sa faculté d'amerrir était vitale.
En cas de panne, aussi, et lors des
nombreuses escales, inévitables
durant les longs voyages.

*Un seul plan de sustentation :
économie et vitesse*

Aileron

*Puissant phare
électrique pour
l'atterrissage de nuit*

*Bras
hydraulique
pour replier le train
dans l'aile après
le décollage*

STYLE IMPÉRIAL

Les biplans britanniques
Handley Page, comme
cet Heracles, étaient les plus
gros avions de ligne des
années 1930. Les plus sûrs,
aussi : plus de trois millions
de kilomètres de vol sans
accident pour Imperial
Airways. Mais, comparés
aux modèles américains
et français, ils étaient lents
et démodés.

AVEC LE JET, TOUT LE MONDE S'ENVOLE

Jusqu'aux années 1950, seuls les privilégiés pouvaient prendre l'avion. Aujourd'hui, les voyageurs se comptent chaque année par millions. Les avions à réaction ont révolutionné les transports aériens. Ils volent à grande vitesse au-dessus des nuages et, grâce aux cabines «pressurisées», on ne sent plus la raréfaction de l'air. Leur silhouette n'a pas beaucoup changé depuis 30 ans mais ils ont bénéficié des progrès de la technologie et de la sécurité : commandes électroniques, systèmes de navigation sophistiqués, cellules en fibre de carbone, légère et solide, ou autres matériaux composites. Le profil des ailes, calculé par ordinateur, permet d'économiser du carburant et les moteurs à turbofans ont réduit le bruit au minimum.

DES FAUTEUILS EN PLEIN CIEL
Les avions sont devenus confortables : moteurs réguliers, bruit atténué en cabine et survol des nuages, générateurs de turbulences.

EN KIT
Les différents segments des avions modernes – aussi peu nombreux que possible pour réduire les joints au minimum – sont boulonnés, rivetés, puis collés.

Emplanture de l'aile, contenant le réservoir central

FUSELAGE
Les éléments du fuselage ont le même diamètre sur presque toute sa longueur, ce qui rend la construction pratique et bon marché. Pour raccourcir ou rallonger l'avion, il suffit de retirer ou d'ajouter un segment.

Segment central du fuselage de BAe 146 en construction

Vérin placé dans le logement du train pour soutenir le fuselage en construction

Traitement anticorrosion à base de chromate, avant la peinture

Logement du réservoir latéral

Revêtement de l'aile d'une seule pièce pour une plus grande rigidité

AILE
La voilure est plus fine qu'autrefois, ce qui réduit la traînée au minimum. A cause des vitesses élevées, elle comporte – surtout pour le décollage et l'atterrissage – un ensemble compliqué de volets hyper-sustentateurs, d'ailerons de manœuvre, ainsi que des aérofreins.

Pylône destiné à soutenir le moteur

Emplacement des volets de courbure qui s'abaissent à l'atterrissage

Conduit de commande hydraulique du volet

DE HAVILLAND COMET

Le Comet, premier avion de ligne à réaction du monde, est entré en service en 1952, réduisant de moitié les temps de vol. Ce sont le Boeing 707, la Caravelle, en 1958, et le Douglas DC-8 qui ont vraiment inauguré l'ère des «jets».

JUMBO JET

En 1970, lorsque l'énorme Boeing 747, le premier gros porteur, a été mis en service, bien des spécialistes se demandaient si on arriverait à le remplir. A l'usage, le «jumbo jet» a ouvert le transport aérien à des milliards de voyageurs.

LÉGÈRETÉ ET RÉSISTANCE

La structure d'un avion à réaction doit être très solide pour supporter le vol en altitude et les pressurisation et dépressurisation constantes. La moindre faiblesse serait catastrophique, aussi chaque segment est-il soigneusement contrôlé, autrefois par des hommes, aujourd'hui par des ordinateurs. Mais la résistance, qui provient surtout du revêtement métallique, n'est pas tout. La structure doit aussi être légère et l'on utilise largement des alliages d'aluminium, avec des cadres et des lisses qui courent à l'intérieur du fuselage.

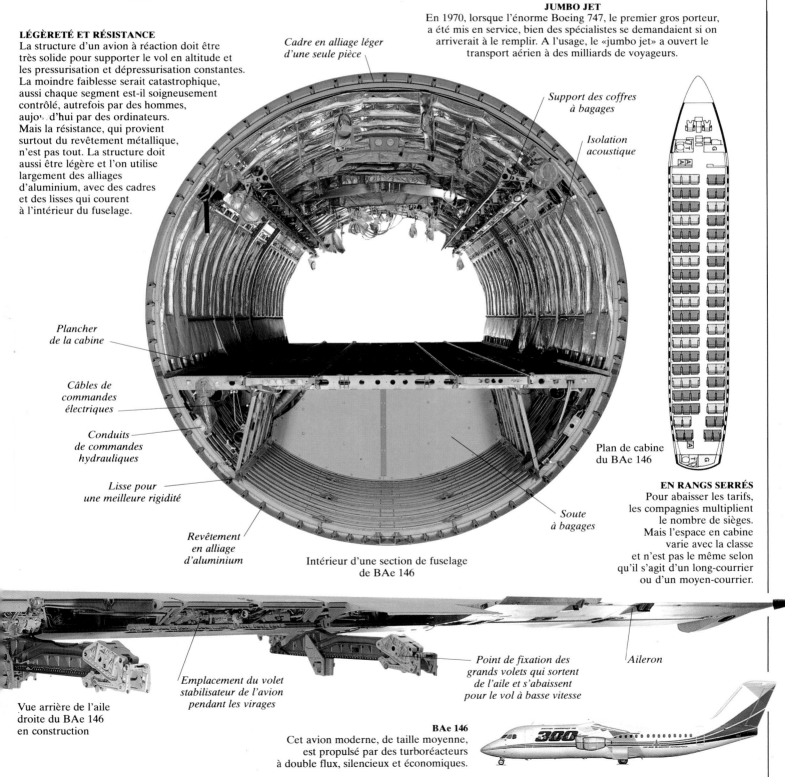

Cadre en alliage léger d'une seule pièce

Support des coffres à bagages

Isolation acoustique

Plancher de la cabine

Câbles de commandes électriques

Conduits de commandes hydrauliques

Lisse pour une meilleure rigidité

Revêtement en alliage d'aluminium

Soute à bagages

Intérieur d'une section de fuselage de BAe 146

Plan de cabine du BAe 146

EN RANGS SERRÉS

Pour abaisser les tarifs, les compagnies multiplient le nombre de sièges. Mais l'espace en cabine varie avec la classe et n'est pas le même selon qu'il s'agit d'un long-courrier ou d'un moyen-courrier.

Vue arrière de l'aile droite du BAe 146 en construction

Emplacement du volet stabilisateur de l'avion pendant les virages

Point de fixation des grands volets qui sortent de l'aile et s'abaissent pour le vol à basse vitesse

Aileron

BAe 146

Cet avion moderne, de taille moyenne, est propulsé par des turboréacteurs à double flux, silencieux et économiques.

LES TURBORÉACTEURS SE JOUENT DU MUR DU SON

L'invention des moteurs à réaction a transformé l'aviation. À la fin des années 1930, il fallait un moteur à pistons très au point et d'énormes quantités de carburant pour atteindre les 700 km/h. Dès les années 1960, on dépassait cette vitesse même sur les lignes régulières, tandis que certains appareils militaires filaient à 2 500 km/h, plus de deux fois la vitesse du son! Aujourd'hui, la plupart des avions sont équipés d'un des différents types de moteurs à réaction, dont la technologie ne cesse de progresser. Mais, sauf pour Concorde, le vol supersonique s'est avéré trop bruyant et trop cher.

PROTOTYPES
Les premiers prototypes de moteurs à réaction ont été construits en même temps par l'Allemand Pabst von Ohain et le Britannique Frank Whittle, chacun ignorant le travail de l'autre. Le second a d'abord été utilisé dans le Gloster E28/39 de 1941 (ci-dessus).

LE MUR DU SON
En 1947, à bord de l'avion-fusée spécial Bell X-1, le pilote d'essai Chuck Yeager franchit le mur du son – environ 1 100 km/h.

DES TURBINES À GAZ
Les moteurs à réaction sont des turbines à gaz qui brûlent le carburant, non par intermittence, comme avec les pistons, mais en continuité, pour faire tourner les lames d'une turbine. Dans un turboréacteur, celle-ci actionne uniquement le compresseur, tandis que dans un turbofan, elle entraîne en même temps la grosse soufflante de l'avant.

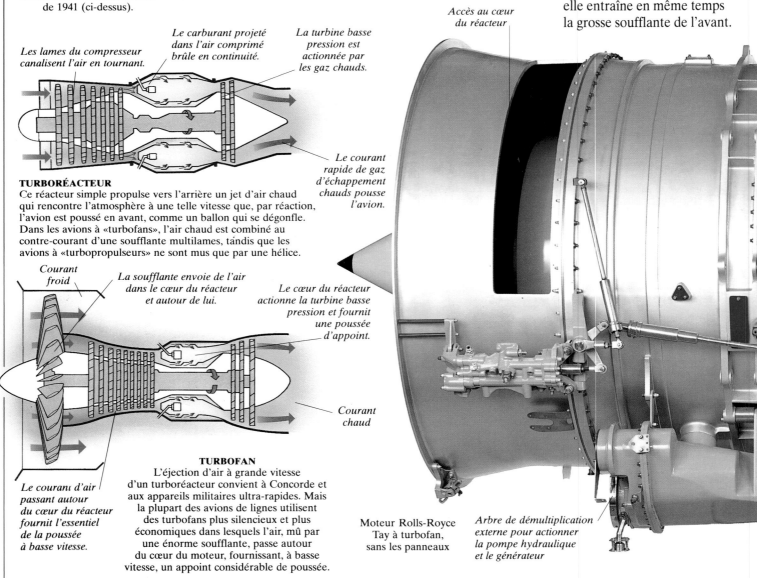

Les lames du compresseur canalisent l'air en tournant.

Le carburant projeté dans l'air comprimé brûle en continuité.

La turbine basse pression est actionnée par les gaz chauds.

Accès au cœur du réacteur

Le courant rapide de gaz d'échappement chauds pousse l'avion.

TURBORÉACTEUR
Ce réacteur simple propulse vers l'arrière un jet d'air chaud qui rencontre l'atmosphère à une telle vitesse que, par réaction, l'avion est poussé en avant, comme un ballon qui se dégonfle. Dans les avions à «turbofans», l'air chaud est combiné au contre-courant d'une soufflante multilames, tandis que les avions à «turbopropulseurs» ne sont mus que par une hélice.

Courant froid

La soufflante envoie de l'air dans le cœur du réacteur et autour de lui.

Le cœur du réacteur actionne la turbine basse pression et fournit une poussée d'appoint.

Courant chaud

Le courant d'air passant autour du cœur du réacteur fournit l'essentiel de la poussée à basse vitesse.

TURBOFAN
L'éjection d'air à grande vitesse d'un turboréacteur convient à Concorde et aux appareils militaires ultra-rapides. Mais la plupart des avions de lignes utilisent des turbofans plus silencieux et plus économiques dans lesquels l'air, mû par une énorme soufflante, passe autour du cœur du moteur, fournissant, à basse vitesse, un appoint considérable de poussée.

Moteur Rolls-Royce Tay à turbofan, sans les panneaux

Arbre de démultiplication externe pour actionner la pompe hydraulique et le générateur

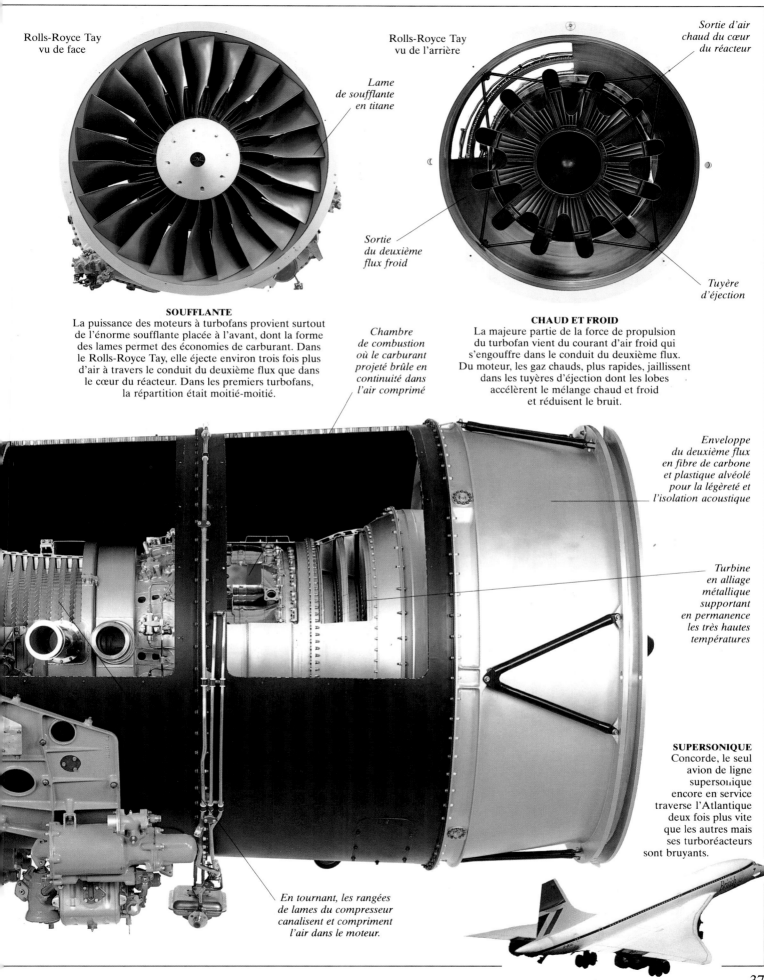

Rolls-Royce Tay
vu de face

Rolls-Royce Tay
vu de l'arrière

*Sortie d'air
chaud du cœur
du réacteur*

*Lame
de soufflante
en titane*

*Sortie
du deuxième
flux froid*

*Tuyère
d'éjection*

SOUFFLANTE
La puissance des moteurs à turbofans provient surtout de l'énorme soufflante placée à l'avant, dont la forme des lames permet des économies de carburant. Dans le Rolls-Royce Tay, elle éjecte environ trois fois plus d'air à travers le conduit du deuxième flux que dans le cœur du réacteur. Dans les premiers turbofans, la répartition était moitié-moitié.

*Chambre
de combustion
où le carburant
projeté brûle en
continuité dans
l'air comprimé*

CHAUD ET FROID
La majeure partie de la force de propulsion du turbofan vient du courant d'air froid qui s'engouffre dans le conduit du deuxième flux. Du moteur, les gaz chauds, plus rapides, jaillissent dans les tuyères d'éjection dont les lobes accélèrent le mélange chaud et froid et réduisent le bruit.

*Enveloppe
du deuxième flux
en fibre de carbone
et plastique alvéolé
pour la légèreté et
l'isolation acoustique*

*Turbine
en alliage
métallique
supportant
en permanence
les très hautes
températures*

SUPERSONIQUE
Concorde, le seul avion de ligne supersonique encore en service traverse l'Atlantique deux fois plus vite que les autres mais ses turboréacteurs sont bruyants.

*En tournant, les rangées
de lames du compresseur
canalisent et compriment
l'air dans le moteur.*

LE TRAIN D'ATTERRISSAGE DOIT AVOIR DE BONNES JAMBES

Les premiers aéroplanes atterrissaient sur des roues de motos ou de voitures montées sur bois ou sur métal. Ils y parvenaient mais, avec un équipement si fragile, c'était une gageure. Très vite, on conçut une suspension de base pour amortir le choc : le «train d'atterrissage» muni de roues spéciales. Avec l'évolution des avions et de la vitesse, les jambes en bois et les roues à rayons métalliques cédèrent la place à des amortisseurs hydrauliques et à des roues en acier forgé. Des roues supplémentaires furent fixées sous les ailes, de chaque côté, pour augmenter la stabilité. Dès les années 1940, tous les avions en vol, sauf les tout petits, pouvaient rentrer leur train dans les ailes pour diminuer la traînée. L'ère du jet allait exiger de nouveaux perfectionnements : les freins à disques et le dispositif antiblocage furent essayés sur les avions avant d'être adoptés par les constructeurs automobiles. Les trains d'atterrissage modernes sont des mécanismes hautement sophistiqués pour supporter et stopper, en un rien de temps, un avion de 150 tonnes se posant à au moins 200 km/h.

AMERRISSAGE
A l'époque où les pistes d'atterrissage étaient rares et éloignées, il était pratique d'amerrir. Sur les hydravions, le long des deux tiers de la face inférieure des flotteurs, un redan permettait de raser l'eau et réduisait assez sa résistance pour que l'appareil puisse atteindre sa vitesse de décollage.

À RAYONS
Il n'y avait pas de frein sur cette roue du début du siècle. Aussi des rayons entrecroisés pour résister aux forces de freinage n'étaient-ils pas nécessaires.

Jambe en bois

Patin pour empêcher l'avion de piquer du nez à l'atterrissage sur un sol meuble

Amortisseur en caoutchouc élastique

BÉQUILLE
L'extrémité arrière des premiers avions était si légère qu'il n'y avait pas besoin de roue. Une simple béquille suffisait.

EN DOUCEUR
Le Deperdussin de 1910 descendait si lentement que les bandes de caoutchouc élastique faisaient assez bien office d'amortisseurs. A l'avant, des patins recourbés empêchaient l'avion de piquer du nez en se posant sur un sol meuble, incident fréquent au début.

AMÉLIORATIONS

Avec l'augmentation de la vitesse à l'avènement des jets des années 1950, il fallut aménager des pistes de plus en plus longues pour que les avions puissent se poser en sécurité. Sur les plus gros, les bogies des trains passèrent d'une à plusieurs roues : plus petits et plus légers, ils répartissaient aussi la charge d'atterrissage sur une plus grande surface, réduisant le risque d'éclatement des pneus. Autre nouveauté : les roulettes de nez directionnelles pour se poser à l'horizontale et virer comme en voiture. Avant, les pilotes devaient «décrocher» (pp. 40-41) habilement juste au-dessus de la piste pour poser en même temps les roues du train principal et de l'arrière.

TRAIN RENTRÉ

Dans la course à la vitesse, les chasseurs de la dernière guerre, comme le Spitfire (ci-dessus), ont inauguré des mécanismes simples pour rentrer en vol les roues dans les ailes.

Conduits hydrauliques des freins à disques

Suspension «liquide» et amortisseur

ROUE DE SPITFIRE

Léger et robuste, cet alliage moulé était utilisé depuis longtemps sur les avions avant de s'étendre aux roues de voitures.

Une jambe hydraulique glisse dans la jambe principale pour amortir les chocs de l'atterrissage.

Amortisseur auxiliaire

Articulation pivotante qui accompagne les mouvements de la suspension

EN ACIER

Les roues en acier forgé étaient mieux adaptées aux avions plus lourds et plus rapides des années 1920. Celle-ci appartient à un Hawker Hart du même modèle que celui de la page 24.

Bogie à quatre roues de deux pneus

JAMBE PLIANTE

Les gros monoplans de ligne et les bombardiers des années 1930 et 1940 avaient une énorme roue rentrante sous chaque aile. Sur cet Armstrong-Withworth de 1930, la jambe du train principal se pliait au milieu. Un vérin hydraulique la soulevait et la rangeait dans le logement du moteur pendant le vol.

Pneus conçus pour supporter d'énormes charges et un échauffement violent à l'atterrissage

Jambe du train d'atterrissage du bombardier Avro Vulcan, dans les années 1950

QUELQUES CONSEILS AVANT DE PRENDRE LES COMMANDES

À la différence de la voiture ou du bateau, qui peuvent seulement tourner à droite et à gauche, l'avion est piloté dans les trois dimensions. Il se cabre ou pique pour monter ou descendre, roule d'un bord à l'autre et vire à droite ou à gauche. Pour la plupart des manœuvres, le pilote utilise les trois commandes simultanément, ce qui exige une bonne coordination. Il doit les contrôler constamment pour maintenir un cap et une altitude car, même par temps calme, des turbulences perturbent l'équilibre. Le «pilote automatique», qui compose ces variations, lui facilite la tâche.

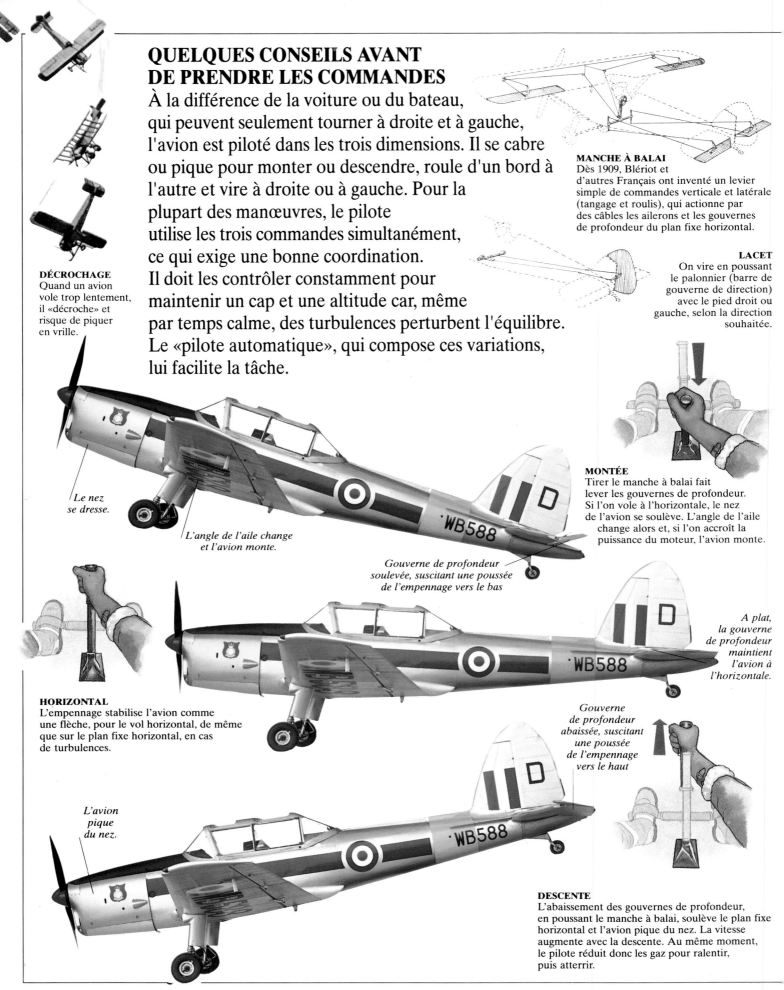

MANCHE À BALAI
Dès 1909, Blériot et d'autres Français ont inventé un levier simple de commandes verticale et latérale (tangage et roulis), qui actionne par des câbles les ailerons et les gouvernes de profondeur du plan fixe horizontal.

LACET
On vire en poussant le palonnier (barre de gouverne de direction) avec le pied droit ou gauche, selon la direction souhaitée.

DÉCROCHAGE
Quand un avion vole trop lentement, il «décroche» et risque de piquer en vrille.

Le nez se dresse.

L'angle de l'aile change et l'avion monte.

Gouverne de profondeur soulevée, suscitant une poussée de l'empennage vers le bas

MONTÉE
Tirer le manche à balai fait lever les gouvernes de profondeur. Si l'on vole à l'horizontale, le nez de l'avion se soulève. L'angle de l'aile change alors et, si l'on accroît la puissance du moteur, l'avion monte.

A plat, la gouverne de profondeur maintient l'avion à l'horizontale.

HORIZONTAL
L'empennage stabilise l'avion comme une flèche, pour le vol horizontal, de même que sur le plan fixe horizontal, en cas de turbulences.

Gouverne de profondeur abaissée, suscitant une poussée de l'empennage vers le haut

L'avion pique du nez.

DESCENTE
L'abaissement des gouvernes de profondeur, en poussant le manche à balai, soulève le plan fixe horizontal et l'avion pique du nez. La vitesse augmente avec la descente. Au même moment, le pilote réduit donc les gaz pour ralentir, puis atterrir.

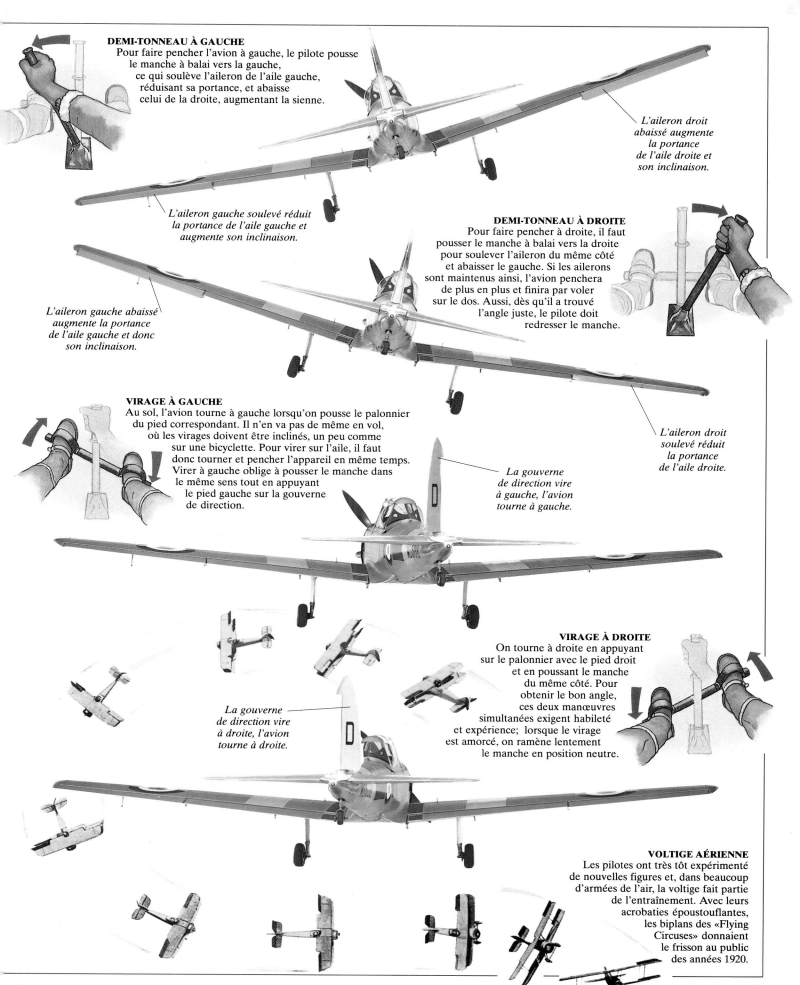

DEMI-TONNEAU À GAUCHE

Pour faire pencher l'avion à gauche, le pilote pousse le manche à balai vers la gauche, ce qui soulève l'aileron de l'aile gauche, réduisant sa portance, et abaisse celui de la droite, augmentant la sienne.

L'aileron droit abaissé augmente la portance de l'aile droite et son inclinaison.

L'aileron gauche soulevé réduit la portance de l'aile gauche et augmente son inclinaison.

DEMI-TONNEAU À DROITE

Pour faire pencher à droite, il faut pousser le manche à balai vers la droite pour soulever l'aileron du même côté et abaisser le gauche. Si les ailerons sont maintenus ainsi, l'avion penchera de plus en plus et finira par voler sur le dos. Aussi, dès qu'il a trouvé l'angle juste, le pilote doit redresser le manche.

L'aileron gauche abaissé augmente la portance de l'aile gauche et donc son inclinaison.

VIRAGE À GAUCHE

Au sol, l'avion tourne à gauche lorsqu'on pousse le palonnier du pied correspondant. Il n'en va pas de même en vol, où les virages doivent être inclinés, un peu comme sur une bicyclette. Pour virer sur l'aile, il faut donc tourner et pencher l'appareil en même temps. Virer à gauche oblige à pousser le manche dans le même sens tout en appuyant le pied gauche sur la gouverne de direction.

La gouverne de direction vire à gauche, l'avion tourne à gauche.

L'aileron droit soulevé réduit la portance de l'aile droite.

VIRAGE À DROITE

On tourne à droite en appuyant sur le palonnier avec le pied droit et en poussant le manche du même côté. Pour obtenir le bon angle, ces deux manœuvres simultanées exigent habileté et expérience; lorsque le virage est amorcé, on ramène lentement le manche en position neutre.

La gouverne de direction vire à droite, l'avion tourne à droite.

VOLTIGE AÉRIENNE

Les pilotes ont très tôt expérimenté de nouvelles figures et, dans beaucoup d'armées de l'air, la voltige fait partie de l'entraînement. Avec leurs acrobaties époustouflantes, les biplans des «Flying Circuses» donnaient le frisson au public des années 1920.

LA CABINE DE PILOTAGE DES PETITS AVIONS EST RESTÉE SIMPLE

Les cockpits fermés sont apparus à la fin des années 1920, avec le verre de sûreté. Jusque-là, les pilotes étaient à la merci du vent, du froid, de la pluie, avec pour seules protections le pare-brise et leurs vêtements. La priorité n'était pas au confort dans ces habitacles rudimentaires mais fonctionnels, équipés de quelques instruments et de jauges qui, d'ailleurs, pouvaient tout aussi bien se trouver à même le moteur. Les principales commandes ont été inventées assez tôt : palonnier aux pieds du pilote pour tourner et manche à balai (au début, certains avions avaient un volant) entre les genoux pour descendre, monter et virer. On retrouve cette disposition élémentaire dans les petits avions actuels.

DEPERDUSSIN 1910
Sans instruments, les cockpits des premiers avions étaient très sommaires. Avec le gros réservoir qui lui bouchait la vue, le pilote devait sans cesse se pencher à l'extérieur pour vérifier son altitude et sa position.

VICKERS VIMY 1919
Dessiné par les Britanniques vers la fin de la Première Guerre pour bombarder à longue portée des objectifs industriels allemands, cet avion avait un cockpit biplace : une pour le pilote, une pour l'observateur. Les indicateurs de vitesse et de pression d'huile étaient montés à même le moteur.

Montre

Altimètre (indiquant l'altitude)

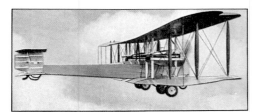

TRAVERSÉE DE L'ATLANTIQUE
John Alcock et Arthur Brown ont effectué la première traversée de l'Atlantique à bord d'un Vimy, les 14 et 15 juin 1919. Dans leur cockpit ouvert, ils ont enduré 16 heures de brouillard givrant et de crachin.

Magnéto manuelle fournissant le courant électrique pour démarrer

Interrupteurs

Clinomètre (indiquant l'inclinaison de plan)

Compas

Commande des volets thermiques du moteur

Palonnier

Volant de commande pour tourner à droite ou à gauche

Commande des gaz et de mélange air/carburant

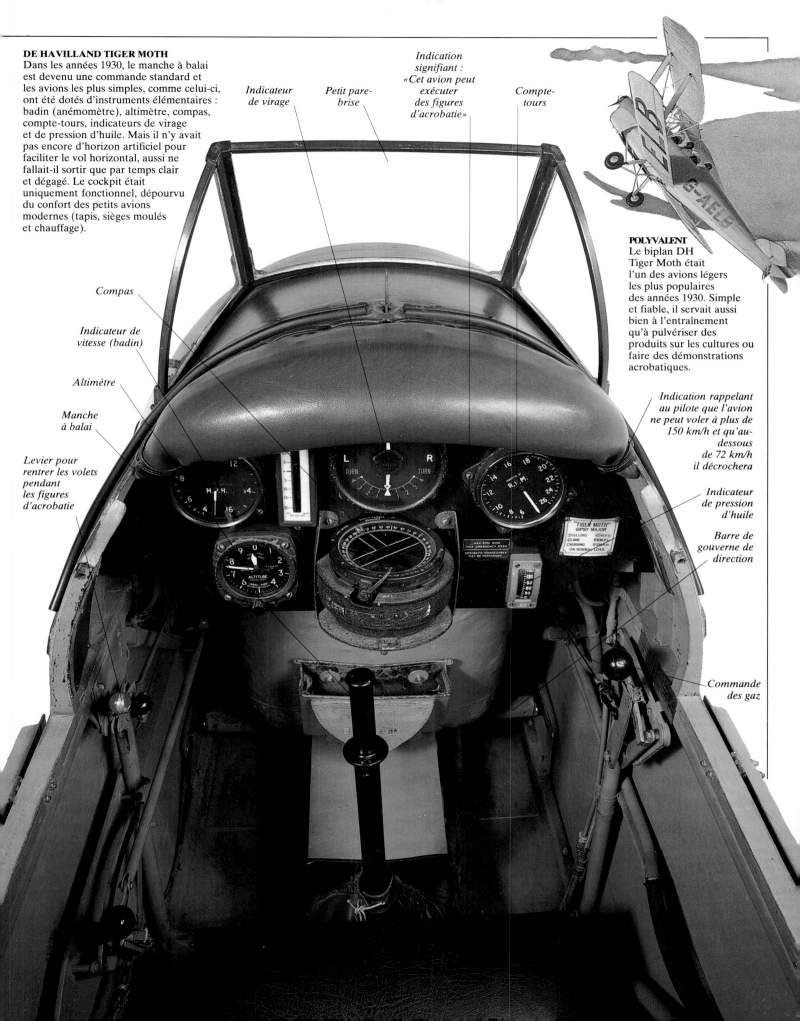

DE HAVILLAND TIGER MOTH
Dans les années 1930, le manche à balai est devenu une commande standard et les avions les plus simples, comme celui-ci, ont été dotés d'instruments élémentaires : badin (anémomètre), altimètre, compas, compte-tours, indicateurs de virage et de pression d'huile. Mais il n'y avait pas encore d'horizon artificiel pour faciliter le vol horizontal, aussi ne fallait-il sortir que par temps clair et dégagé. Le cockpit était uniquement fonctionnel, dépourvu du confort des petits avions modernes (tapis, sièges moulés et chauffage).

Indicateur de virage

Petit pare-brise

Indication signifiant : «Cet avion peut exécuter des figures d'acrobatie»

Compte-tours

POLYVALENT
Le biplan DH Tiger Moth était l'un des avions légers les plus populaires des années 1930. Simple et fiable, il servait aussi bien à l'entraînement qu'à pulvériser des produits sur les cultures ou faire des démonstrations acrobatiques.

Compas

Indicateur de vitesse (badin)

Altimètre

Manche à balai

Levier pour rentrer les volets pendant les figures d'acrobatie

Indication rappelant au pilote que l'avion ne peut voler à plus de 150 km/h et qu'au-dessous de 72 km/h il décrochera

Indicateur de pression d'huile

Barre de gouverne de direction

Commande des gaz

À BORD DES JETS : UNE CONSOLE D'ORDINATEUR

Avec tous ses cadrans, ses boutons et ses témoins de fonctionnement, le poste de pilotage des avions d'aujourd'hui est très impressionnant. Sans parler des commandes élémentaires. Les ordinateurs et de nouveaux écrans CRT («cathode ray tube») très lisibles équipent de plus en plus d'appareils. Désormais, pour changer une information affichée, il suffit d'effleurer une touche.

Interrupteur des phares d'atterrissage et de roulage

Panneau de démarrage

Instrument de vol de secours alimenté par une batterie pour atterrir en toute sécurité en cas de panne électrique complète

Boîtier de commande de navigation par ordinateur

Commande de régime des moteurs

Informations sur le fonctionnement du moteur : alimentation, température de la turbine et couple moteur

Indicateur pour les systèmes hydrauliques et les freins

44

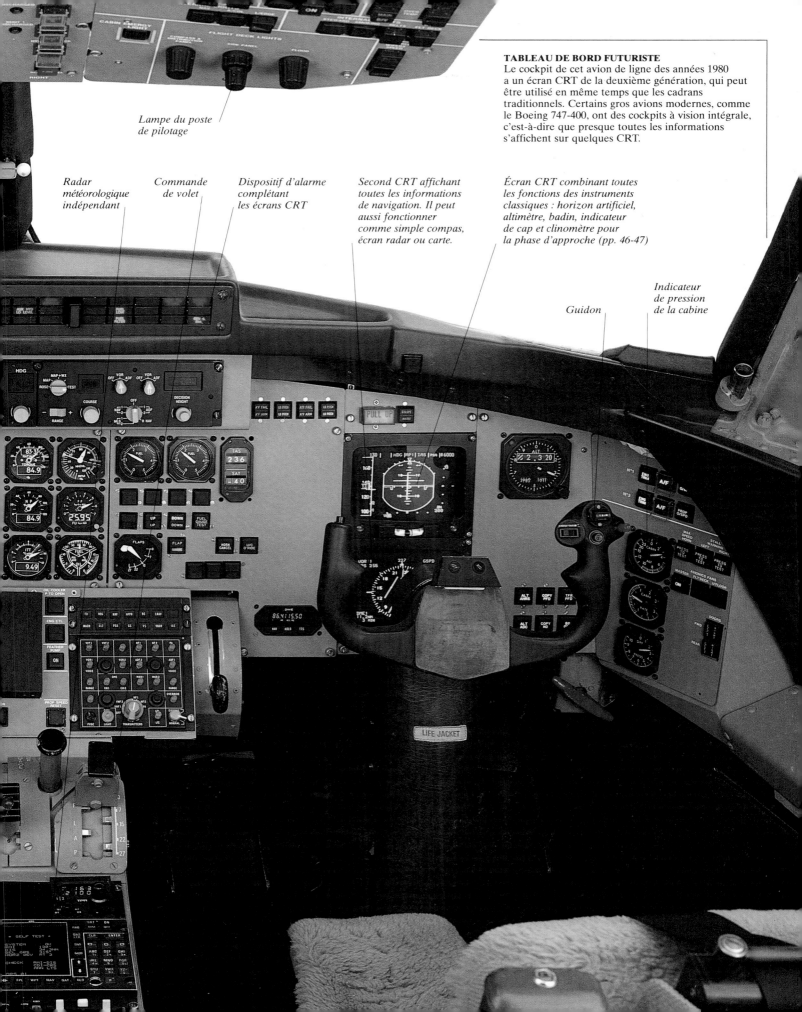

Lampe du poste
de pilotage

TABLEAU DE BORD FUTURISTE
Le cockpit de cet avion de ligne des années 1980
a un écran CRT de la deuxième génération, qui peut
être utilisé en même temps que les cadrans
traditionnels. Certains gros avions modernes, comme
le Boeing 747-400, ont des cockpits à vision intégrale,
c'est-à-dire que presque toutes les informations
s'affichent sur quelques CRT.

Radar
météorologique
indépendant

Commande
de volet

Dispositif d'alarme
complétant
les écrans CRT

Second CRT affichant
toutes les informations
de navigation. Il peut
aussi fonctionner
comme simple compas,
écran radar ou carte.

Écran CRT combinant toutes
les fonctions des instruments
classiques : horizon artificiel,
altimètre, badin, indicateur
de cap et clinomètre pour
la phase d'approche (pp. 46-47)

Guidon

Indicateur
de pression
de la cabine

LIFE JACKET

GRÂCE AUX INSTRUMENTS, ON PEUT VOLER PAR TOUS LES TEMPS

Pour se faire une idée approximative de la vitesse à laquelle ils volaient, les frères Wright (p. 14) n'avaient qu'un compte-tours, un chronomètre et un anémomètre. Les risques de décrochage allaient bientôt mettre en évidence la nécessité de normaliser l'usage d'un indicateur de vitesse précis sur tous les avions. Comme ils volaient de plus en plus haut et de plus en plus loin, il fallut ajouter un altimètre, pour mesurer l'altitude, et un compas magnétique, pour garder un cap. Mais les pilotes ont longtemps navigué à vue, en devinant souvent, faute de mieux, la position de leur appareil : jusqu'en 1929, avec l'invention, par Elmer Sperry, des instruments gyroscopiques, indicateur de virage et horizon artificiel. Le gyroscope, sorte de toupie à stabilité constante, quelle que soit l'inclinaison de l'avion, a rendu possible le «vol aux instruments» en cas de mauvaise visibilité.

Plaque exposée à la pression

Ressort

ANÉMOMÈTRE
Voici un des premiers appareils mesurant en continu la vitesse dans l'air. Il comporte deux tuyaux orientés en vol, l'un évaluant la pression statique (pression atmosphérique normale) et l'autre la pression dynamique créée par le mouvement de l'avion. La différence entre les deux, mesurée par un diaphragme flexible, donne la vitesse.

QUELLE VITESSE?
Certains anémomètres du début s'inspiraient des prévisions météorologiques. Pour se faire une idée approximative de sa vitesse, le pilote comptait les secondes sur un chronomètre tout en notant le nombre de tours d'une hélice inscrit sur un cadran.

Anémomètre de Farnborough vers 1909

Diaphragme

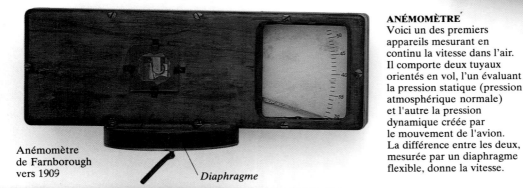

Tuyau statique

Tuyau dynamique

Tube statique

Tube dynamique

TUBE DE PITOT
La méthode inaugurée par Farnborough est devenue la base de mesure de vitesse des avions en vol. Son double tube a été affiné en montant sur les cellules d'avions la tête d'un tube de Pitot, qui sonde la pression. Des tubes de caoutchouc reliaient le Pitot à un indicateur de vitesse dans le cockpit.

Tube de caoutchouc

Jauge

Anémomètre d'Ogilvie vers 1918

MACHMÈTRE
Dans les années 1950, alors que les avions approchaient ou dépassaient la vitesse du son, on utilisa le nombre de Mach, unité de vitesse relative à celle du son.

LIMITATION
Après la Seconde Guerre, les badins (anémomètres) commencèrent à indiquer, avec une aiguille, la vitesse à ne pas dépasser pour voler en toute sécurité.

RESSORT À VENT
Il date de 1910 mais on s'en servait encore dans les années 1930. Il mesurait la vitesse du vent en fonction de la distance parcourue en arrière par la plaque exposée à la pression et tendue par un ressort.

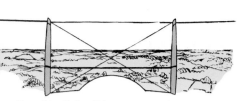

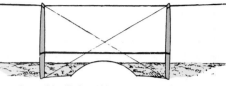

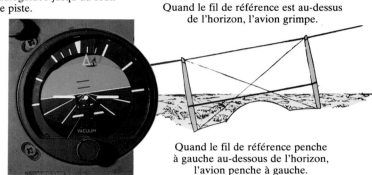

Quand le fil de référence est au-dessous de l'horizon, l'avion plonge.

Quand le fil de référence est au-dessus de l'horizon, l'avion grimpe.

COMMENT VIRER?
Cet indicateur d'inclinaison et de virage fonctionne comme un simple niveau. Pour les changements de direction, il faut tenir compte de l'aiguille supérieure reliée à un gyroscope électrique.

QUEL CAP?
L'atterrissage par mauvais temps est devenu plus sûr avec cet instrument gyroscopique qui aide le pilote à maintenir un cap et faire son approche radioguidée jusqu'au seuil de piste.

QUELLE ALTITUDE?
Pour le savoir, les premiers aviateurs sortaient de leur poche de petits altimètres comme l'Elliott (ci-dessous), comparables à ceux des alpinistes d'autrefois. Mais les acrobaties de la guerre de 1914-1918 démontrèrent la nécessité d'un gros cadran fixé sur le tableau de bord (à gauche).

Quand le fil de référence penche à gauche au-dessous de l'horizon, l'avion penche à gauche.

QUEL ANGLE?
Les premiers pilotes se contentaient de regarder l'horizon, parfois à l'aide d'un fil de référence (ci-dessus à droite), pour estimer le roulis ou le tangage de leur appareil. Mais la nuit, ou dans un gros nuage, ils étaient vite désorientés. Même les plus expérimentés ne pouvaient voler à l'aveuglette plus de huit minutes sans se mettre en vrille. L'horizon artificiel gyroscopique a été la solution.

LES SECRETS DE LA BOÎTE NOIRE

Aujourd'hui, tous les avions commerciaux et militaires ont un enregistreur de coordonnées de vol, la fameuse «boîte noire». Connectée aux principaux systèmes, elle enregistre tout : indications des instruments, régime du moteur et même conversations de l'équipage. Un témoin précieux en cas d'accident.

LE MOUCHARD
Toutes les données de cette boîte sont enregistrées sur les huit pistes d'une bande magnétique. Un coffre d'alliage de titane, solide et bien isolé, la protège contre les accidents et l'incendie.

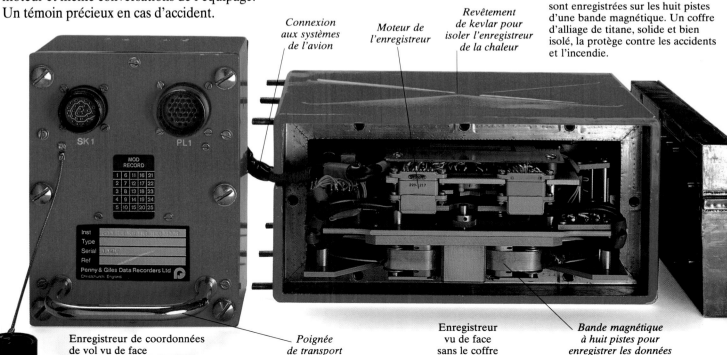

Connexion aux systèmes de l'avion

Moteur de l'enregistreur

Revêtement de kevlar pour isoler l'enregistreur de la chaleur

Enregistreur de coordonnées de vol vu de face

Poignée de transport

Enregistreur vu de face sans le coffre

Bande magnétique à huit pistes pour enregistrer les données

LES GIRAVIONS AVAIENT LEURS PARTISANS

Dès le XVe siècle, en Europe, les enfants jouaient avec des petites machines volantes à pales tournoyantes. Et jusqu'au *Flyer* des frères Wright, beaucoup de gens pensaient que l'avenir de l'aviation était aux ailes rotatives, plutôt que fixes, qui pouvaient aussi s'élever en fendant l'air. Tandis qu'un appareil à aile fixe doit être en mouvement, l'aile tournante permet le vol stationnaire. Au début des années 1900, de nombreux engins à mouvement giratoire ont donc voleté, mais la possibilité d'un vol dirigé semblait illusoire. Puis Juan de la Cierva a inventé l'autogire...

JUAN DE LA CIERVA
Dès son plus jeune âge, cet Espagnol voulait à tout prix construire un avion à aile tournante qui, disait-il, serait plus sûr.

Pale de rotor (aile tournante)

SANS AILE
L'autogire ne devait pas être un hélicoptère mais un avion sans ailes, ce qui supprimait le risque de décrochage en cas de vol trop lent. Les premiers autogires de Cierva avaient des ailes courtes pour aider au décollage (à droite). La publicité insistait sur la sécurité de la descente au sol, «plus lente qu'en parachute», en cas de panne du moteur.

AUTOGIRE
Les inventeurs se servaient de moteurs de plus en plus puissants pour faire décoller leurs hélicoptères. Le coup de génie de Cierva a été de comprendre que, sous la pression de l'air environnant, les engins volants à ailes tournantes pouvaient se passer de moteur. Tout comme les cosses de sycomore, qui tourbillonnent doucement avant d'atteindre le sol. Il a baptisé le phénomène «autorotation».

K4232

CIERVA C-30
De tous les autogires des années 1930, c'est celui qui a eu le plus de succès. L'armée en acheta beaucoup pour faire des vols de reconnaissance et établir des repères pendant l'installation des radars de la Seconde Guerre mondiale.

Plan fixe horizontal unique surélevé et cambré de ce côté pour contrebalancer la rotation des pales

Fuselage en tube d'acier comme celui du biplan, recouvert de toile

LA VOITURE VOLANTE
On a cru, dans les années 1930, que l'autogire deviendrait la voiture de l'air. Un avion individuel pour en finir une fois pour toutes avec les embouteillages! Les petites annonces de la marque américaine Pitcairn essayaient d'en lancer la mode : quoi de plus naturel que de sauter dans son autogire, garé devant la maison, pour aller jouer au golf?

Roulette arrière orientable

PALES À INCIDENCE VARIABLE

Les premiers giravions avaient tendance à se retourner car la pale avançante, plus rapide que la reculante, portait plus. Cierva résolut le problème en adaptant un système de variation d'incidence permettant à la pale avançante de se soulever sans entraîner l'appareil.

Charnière permettant à la pale de battre dans le sens vertical

Charnière latérale permettant aux pales de battre dans le sens de la rotation, et freins pour les ralentir et les soulager

Levier pour permettre au pilote d'incliner le rotor dans toutes les directions

Commande de mise en route du rotor à partir du moteur, pour le décollage

Structure d'aile tournante (pale) au profil comparable à celui des ailes classiques

VOL D'ESCARGOT!
Pour démontrer la sécurité du C-30, on le faisait voler si lentement qu'un coureur à pied pouvait le distancer.

Moteur en étoile Armstrong Siddeley à 7 cylindres, 150 ch

Hélice classique pour tirer en avant l'appareil au décollage et en vol

Amortisseur à huile pour absorber les chocs de l'atterrissage

49

L'HÉLICOPTÈRE EST UN AÉRONEF VRAIMENT «POLYVOLANT»

Très maniable avec ses ailes tournantes, l'hélicoptère peut décoller à la verticale, faire du vol stationnaire et atterrir sur une toute petite aire. Il brûle du carburant en quantité énorme car son moteur fournit, via les rotors, toute la sustentation. Il requiert aussi une grande dextérité de la part du pilote qui commande à la fois la gouverne de direction, le levier de pas collectif et celui de pas cyclique. Mais il est irremplaçable dans beaucoup de situations, depuis le contrôle de la circulation routière jusqu'au sauvetage en mer.

Pale du rotor

RÊVES TOURNOYANTS
Les hélicoptères ont une longue histoire qui a ses pionniers. Certains sont passés pour des farfelus. Parfois, ils l'étaient vraiment! L'Italien Enrico Forlanini réalisa en 1877 un modèle réduit d'hélicoptère à vapeur pesant 8 kg. Il réussit des vols d'une vingtaine de secondes.

PORTÉ PAR UN VENTILATEUR...
Les pales du rotor – sorte d'énorme hélice qui tire l'hélicoptère vers le haut – sont de longues ailes fines que le moteur fait tourner pour fendre l'air, comme une voilure classique (p. 11).

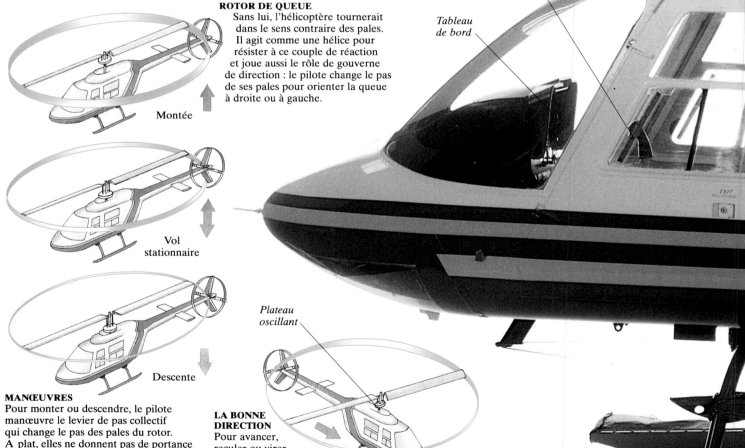

ROTOR DE QUEUE
Sans lui, l'hélicoptère tournerait dans le sens contraire des pales. Il agit comme une hélice pour résister à ce couple de réaction et joue aussi le rôle de gouverne de direction : le pilote change le pas de ses pales pour orienter la queue à droite ou à gauche.

Montée

Vol stationnaire

Descente

Commandes de pas

Tableau de bord

Plateau oscillant

MANŒUVRES
Pour monter ou descendre, le pilote manœuvre le levier de pas collectif qui change le pas des pales du rotor. A plat, elles ne donnent pas de portance et l'hélicoptère descend. La portance le fait monter quand le pas est augmenté. Pour rester en vol stationnaire, il faut un pas intermédiaire. Le tout fonctionne grâce à un plateau oscillant et coulissant sur l'arbre du rotor, qui pousse ou tire des tiges reliées aux pales.

LA BONNE DIRECTION
Pour avancer, reculer ou virer, le pilote bascule tout le rotor avec la commande de pas cyclique. Cela entraîne le plateau oscillant de sorte que le pas de chaque pale varie en cours de rotation. Au point le plus bas de l'inclinaison du plateau, le pas est réduit et la portance limitée. A l'opposé de cette inclinaison, le pas, très important, donne beaucoup de portance. Le résultat est le basculement complet du rotor, et donc de l'hélicoptère, dans la direction souhaitée par le pilote.

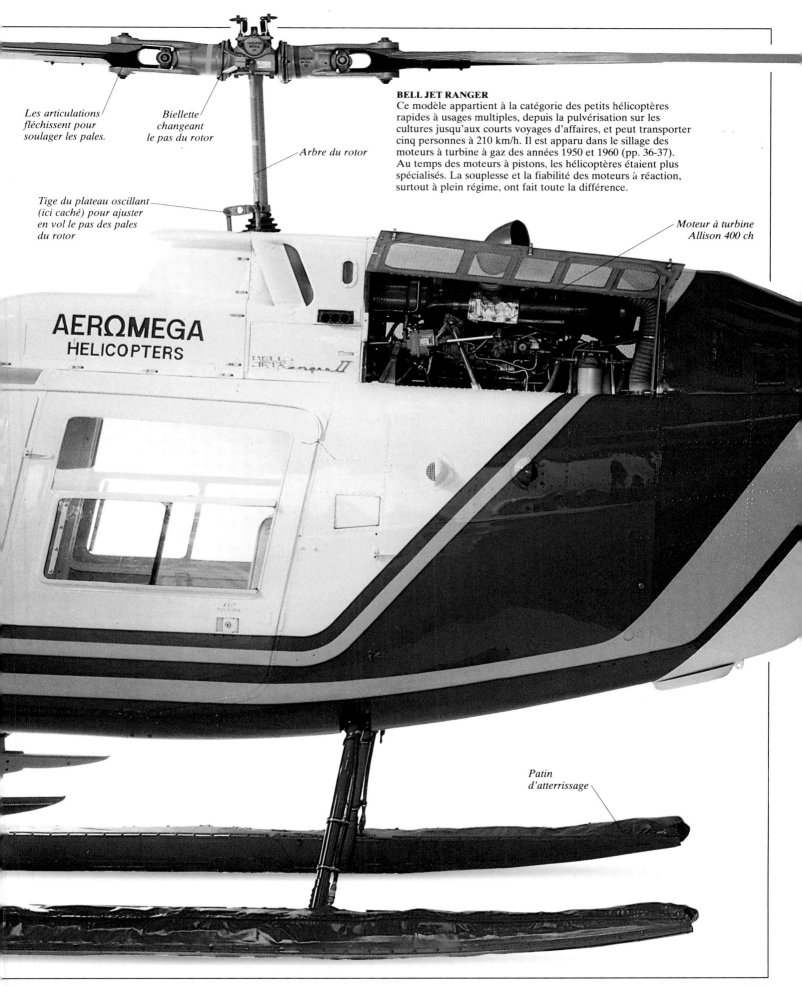

Les articulations fléchissent pour soulager les pales.

Biellette changeant le pas du rotor

Arbre du rotor

Tige du plateau oscillant (ici caché) pour ajuster en vol le pas des pales du rotor

BELL JET RANGER

Ce modèle appartient à la catégorie des petits hélicoptères rapides à usages multiples, depuis la pulvérisation sur les cultures jusqu'aux courts voyages d'affaires, et peut transporter cinq personnes à 210 km/h. Il est apparu dans le sillage des moteurs à turbine à gaz des années 1950 et 1960 (pp. 36-37). Au temps des moteurs à pistons, les hélicoptères étaient plus spécialisés. La souplesse et la fiabilité des moteurs à réaction, surtout à plein régime, ont fait toute la différence.

Moteur à turbine Allison 400 ch

AERΩMEGA HELICOPTERS

Patin d'atterrissage

UN VAISSEAU DANS LES NUAGES

Au XIXᵉ siècle, la perspective de voler avec une voiture tournante a enflammé bien des imaginations. Les jouets volants de sir George Cayley (p. 10) étaient célèbres mais il y en a eu d'autres, qui décollaient maladroitement et retombaient. L'inventeur Gabriel de la Landelle était pourtant convaincu qu'un jour des engins à vapeur, comme celui qu'il avait dessiné en 1863 (à gauche), navigueraient majestueusement dans le ciel.

PREMIER VOL

Même au début du XXᵉ siècle, beaucoup de gens pensaient que les hélicoptères allaient supplanter les avions. Ils se trompaient. Mais en 1907, quatre ans après le premier vol des frères Wright, cet hélicoptère aux rotors en tandem construit par un mécanicien français, Paul Cornu, décolla pour de bon, même si cela ne dura que 20 secondes.

Poutre

Stabilisateur horizontal de la poutre

Tiges de commande du pas de la pale

Plateau oscillant

Bord d'attaque de la pale

Emplacement du moteur

Siège du pilote

LA NAISSANCE DE L'HÉLICOPTÈRE

En dépit de quelques succès comme celui de Cornu, construire un hélicoptère stable et dirigeable se révélait très difficile. L'espoir ne se précisa qu'avec l'invention de l'autogire (pp. 48-49) qui inaugura les commandes à partir des changements de pas des pales du rotor. En 1937, le concepteur allemand Heinrich Focke mit au point un appareil avec un fuselage d'aéroplane et deux énormes rotors à la place des ailes. Il montait, descendait, avançait, reculait et faisait même du vol stationnaire. Peu après, un autre Allemand, Anton Flettner, construisit le premier vrai hélicoptère, agile, avec deux grosses pales qui s'engrenaient comme un fouet mécanique. Pour combattre le couple de réaction (p. 50), ces inventeurs avaient prévu deux rotors tournant en sens opposés. Mais, en 1939, Igor Sikorsky lança le rotor de queue, et son V-300 expérimental (ci-dessus) établit la physionomie des futurs hélicoptères.

Boîte de vitesses

AILES DE PAPILLON

Dans les années 1870, les jouets à élastique de Penaud et Dandrieux ont inspiré beaucoup d'amateurs des ailes tournantes.

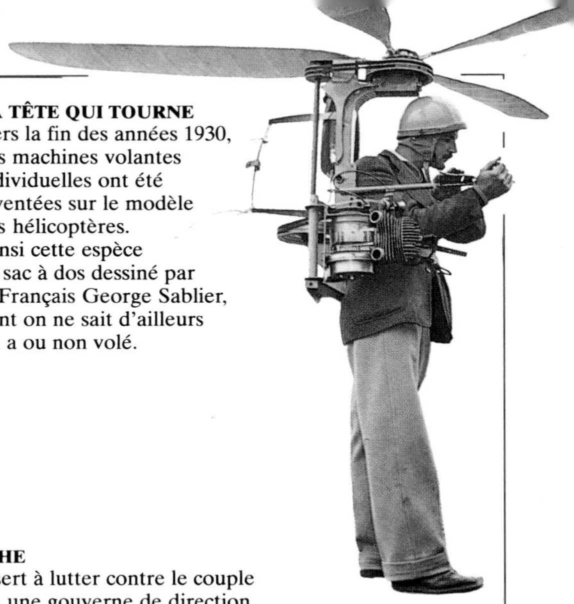

LA TÊTE QUI TOURNE

Vers la fin des années 1930, des machines volantes individuelles ont été inventées sur le modèle des hélicoptères. Ainsi cette espèce de sac à dos dessiné par le Français George Sablier, dont on ne sait d'ailleurs s'il a ou non volé.

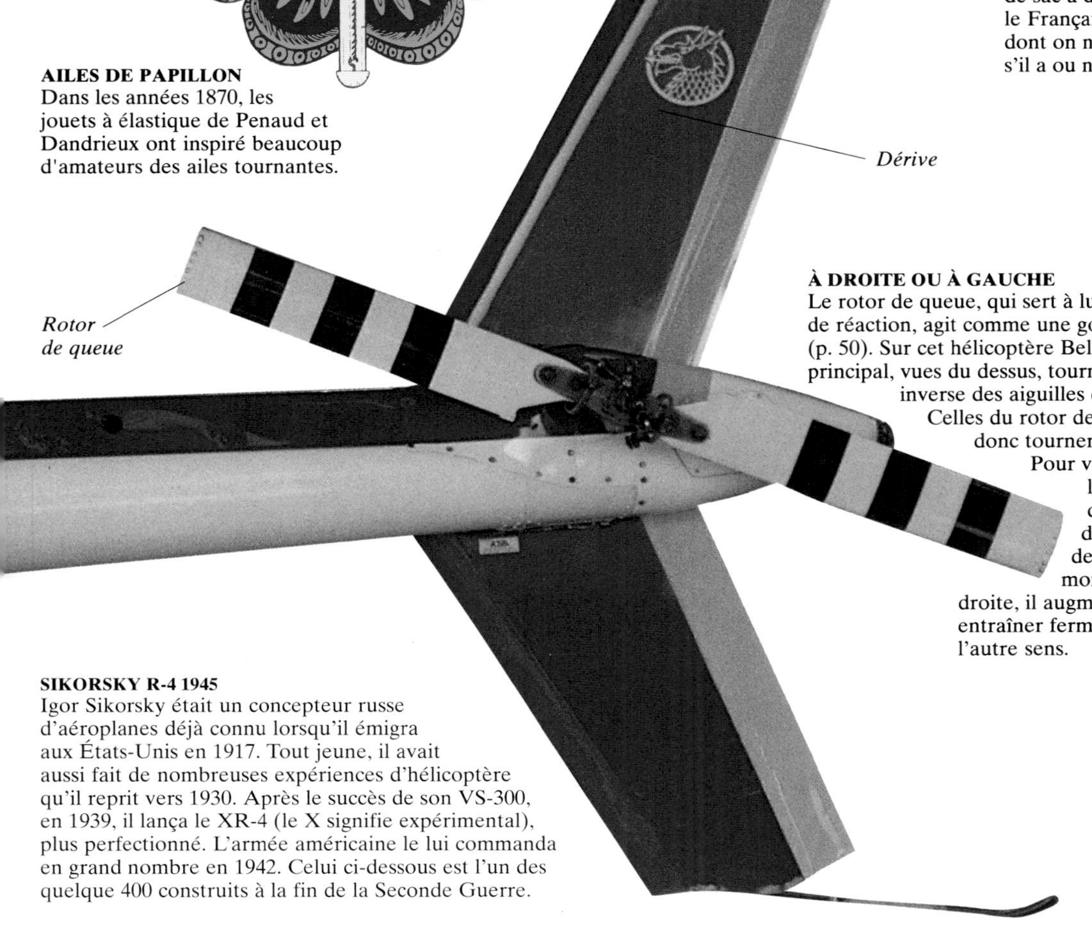

Dérive

Rotor de queue

À DROITE OU À GAUCHE

Le rotor de queue, qui sert à lutter contre le couple de réaction, agit comme une gouverne de direction (p. 50). Sur cet hélicoptère Bell, les pales du rotor principal, vues du dessus, tournent dans le sens inverse des aiguilles d'une montre. Celles du rotor de queue doivent donc tourner dans le sens opposé. Pour virer à gauche, le pilote les aplatit, faisant aller doucement la queue dans le sens inverse des aiguilles d'une montre. Pour virer à droite, il augmente leur pas pour entraîner fermement la queue dans l'autre sens.

SIKORSKY R-4 1945

Igor Sikorsky était un concepteur russe d'aéroplanes déjà connu lorsqu'il émigra aux États-Unis en 1917. Tout jeune, il avait aussi fait de nombreuses expériences d'hélicoptère qu'il reprit vers 1930. Après le succès de son VS-300, en 1939, il lança le XR-4 (le X signifie expérimental), plus perfectionné. L'armée américaine le lui commanda en grand nombre en 1942. Celui ci-dessous est l'un des quelque 400 construits à la fin de la Seconde Guerre.

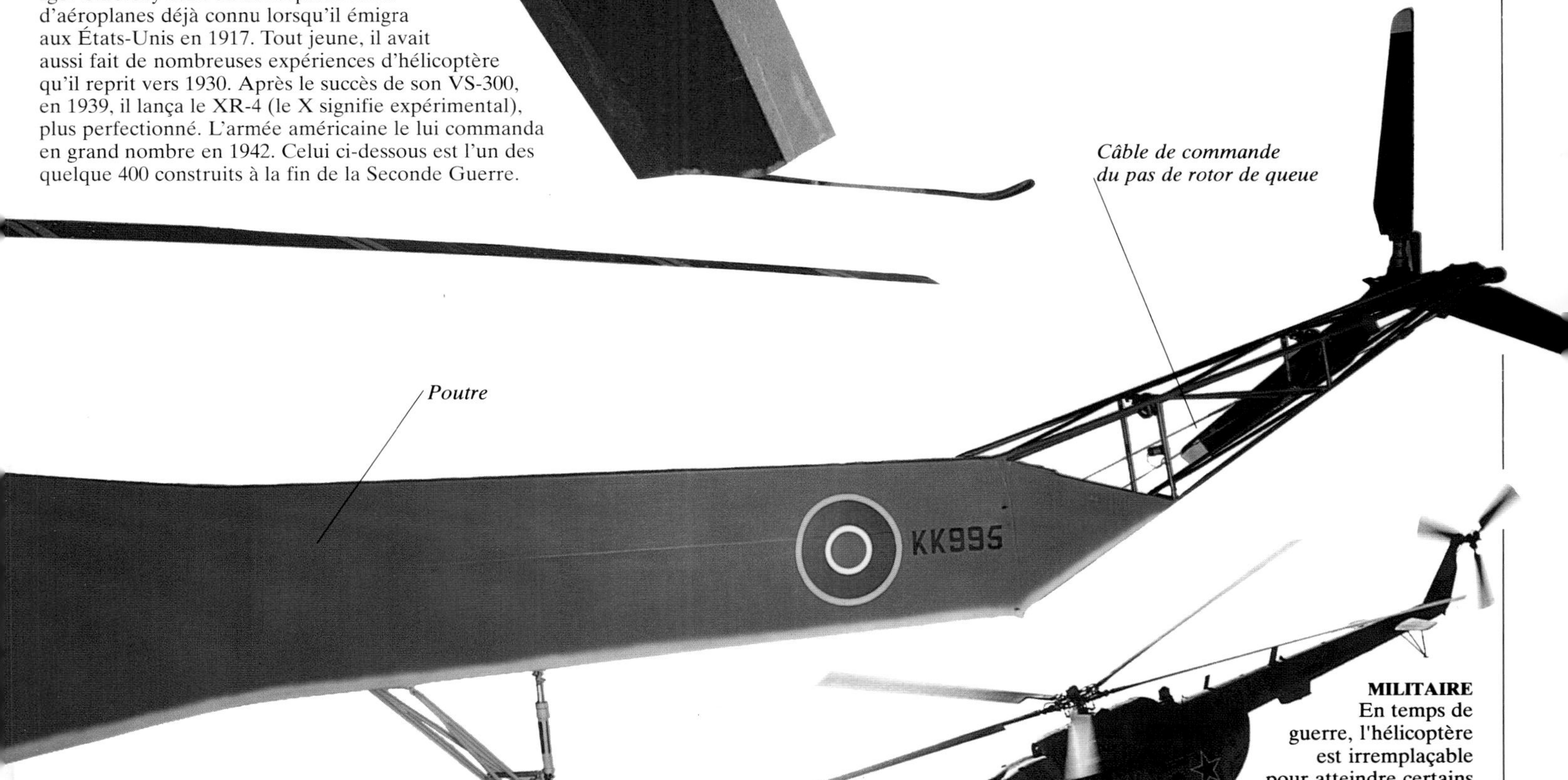

Câble de commande du pas de rotor de queue

Poutre

KK995

Roue arrière d'atterrissage

MILITAIRE

En temps de guerre, l'hélicoptère est irremplaçable pour atteindre certains endroits difficiles d'accès.

OÙ L'ON ASSISTE AU RETOUR DES MONTGOLFIÈRES

Le vol en ballon libre n'a pas survécu à la Première Guerre mondiale parce que le gaz était devenu rare et cher. Mais dans les années 1960, comme les frères de Montgolfier 200 ans plus tôt, Ed Yost, Tracy Barnes et d'autres Américains ont relancé le ballon. Avec, cette fois, une enveloppe en nylon enduit de polyuréthane, gonflée avec de l'air chauffé au gaz propane liquéfié. On assiste depuis à un véritable renouveau de l'aérostation. Des lâchers de montgolfières ont lieu dans le monde entier et de nombreux amateurs essayent de battre des records de distance.

Enveloppe de nylon léger

Panneaux de tissu prédécoupé cousus ensemble

L'ENVELOPPE
Elle est en nylon solide, avec une trame anti-accrocs entrecroisée. En principe, la température de la coupole ne dépasse pas 120 °C, car au-delà le nylon fond. Une sonde thermique, lisible dans la nacelle, est installée au sommet.

L'ONCLE SAM
Avec le boom des montgolfières et les matériaux modernes, les fabricants ont inventé de nouvelles formes : boîtes et bouteilles géantes, puis chameaux et même un château assez ressemblant, flottent doucement dans le ciel!

Câbles d'acier inoxydable partant de la structure du brûleur et attachés à des ganses en nylon solide cousues sur l'enveloppe

Brûleur double

Pinces à ressort pour assemblage et démontage rapides

Structure du brûleur, en acier inoxydable, suspendue à l'enveloppe et d'où partent les câbles soutenant la nacelle

GONFLAGE
C'est peut-être le moment le plus délicat de tous. Ici, on se sert du brûleur pour gonfler le ballon au sol.

Poignée pour l'équipage au sol

UN BON SOUTIEN
Des tiges de nylon soutiennent solidement les brûleurs au-dessus de la tête des aérostiers, même lorsque ceux-ci s'agrippent aux câbles du ballon. Les tuyaux de gaz sont reliés à ces tiges recouvertes d'un étui rembourré et zippé.

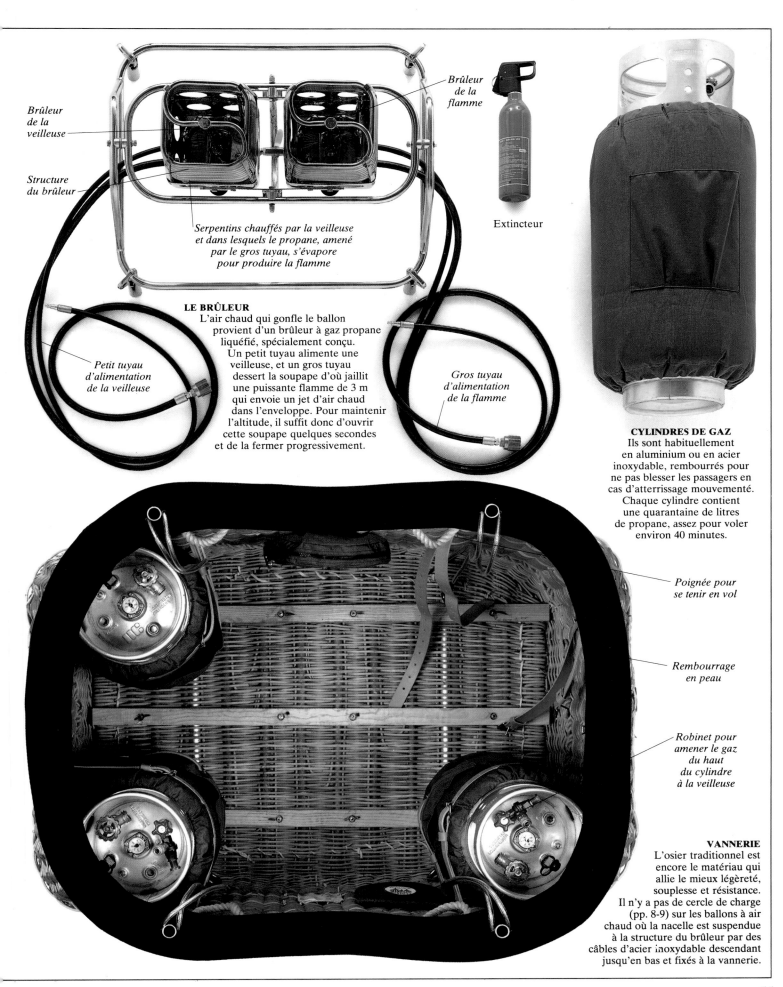

Brûleur de la veilleuse

Structure du brûleur

Brûleur de la flamme

Serpentins chauffés par la veilleuse
et dans lesquels le propane, amené
par le gros tuyau, s'évapore
pour produire la flamme

Extincteur

Petit tuyau d'alimentation de la veilleuse

Gros tuyau d'alimentation de la flamme

LE BRÛLEUR

L'air chaud qui gonfle le ballon
provient d'un brûleur à gaz propane
liquéfié, spécialement conçu.
Un petit tuyau alimente une
veilleuse, et un gros tuyau
dessert la soupape d'où jaillit
une puissante flamme de 3 m
qui envoie un jet d'air chaud
dans l'enveloppe. Pour maintenir
l'altitude, il suffit donc d'ouvrir
cette soupape quelques secondes
et de la fermer progressivement.

CYLINDRES DE GAZ

Ils sont habituellement
en aluminium ou en acier
inoxydable, rembourrés pour
ne pas blesser les passagers en
cas d'atterrissage mouvementé.
Chaque cylindre contient
une quarantaine de litres
de propane, assez pour voler
environ 40 minutes.

Poignée pour se tenir en vol

Rembourrage en peau

Robinet pour amener le gaz du haut du cylindre à la veilleuse

VANNERIE

L'osier traditionnel est
encore le matériau qui
allie le mieux légèreté,
souplesse et résistance.
Il n'y a pas de cercle de charge
(pp. 8-9) sur les ballons à air
chaud où la nacelle est suspendue
à la structure du brûleur par des
câbles d'acier inoxydable descendant
jusqu'en bas et fixés à la vannerie.

DU CIEL, LES DIRIGEABLES NOUS SURVEILLENT

Après une série d'accidents tragiques, à la fin des années 1930, on a bien cru que c'en était fini des dirigeables (p. 9). Les géants ont d'ailleurs disparu dans l'entre-deux-guerres. Mais leur capacité à rester longtemps en l'air était d'une grande utilité, par exemple pour surveiller les sous-marins. On a donc continué à en fabriquer des petits, gonflés à l'hélium, ininflammable, et non plus à l'hydrogène. Et au début des années 1980, Airship Industries a lancé une nouvelle génération de gros dirigeables, en matériaux modernes comme la fibre de carbone ou les composites de plastique.

EN FLAMMES
Les dirigeables gonflés à l'hydrogène risquaient en permanence de prendre feu. Presque la moitié des 72 appareils allemands de la Première Guerre mondiale ont ainsi brûlé et l'incendie du *Hindenburg* (p. 9) signa la fin des géants.

Cône du nez en fibre de verre renforcée pour recevoir le câble d'amarrage

SKYSHIP 500HL
Comparé aux géants d'avant-guerre comme le *Hindenburg* et ses 245 m, cet aérostat de 55 m est petit. Il existe pourtant des plans pour en construire de plus grands (au moins 120 m), capables de rester en l'air un mois d'affilée ou plus, pour servir de stations d'alerte avancées et prévenir des attaques de l'ennemi.

Soupape automatique du ballonnet

Écope à air pour gonfler les ballonnets

LA NACELLE
Au-dessous de l'enveloppe, l'espace dans lequel voyagent l'équipage et les passagers s'appelle la nacelle. En fibre de carbone moulée, légère et solide, elle offre le même confort qu'une cabine d'avion moderne. Le poste de pilotage ressemble aussi à celui d'un avion classique, moins les pédales de commande de direction : comme il n'y a pas d'ailerons (pp. 40-41), le pilote vire en tournant simplement le guidon du manche à balai.

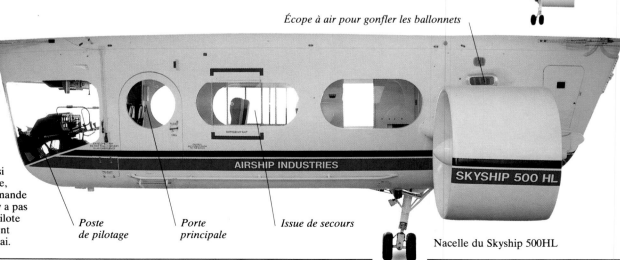

AIRSHIP INDUSTRIES

SKYSHIP 500 HL

Poste de pilotage

Porte principale

Issue de secours

Nacelle du Skyship 500HL

SOUPAPE
Quand le dirigeable s'élève, huit soupapes comme celle-ci s'ouvrent automatiquement pour laisser échapper l'air des ballonnets.

BULLES D'AIR
Dans l'enveloppe du Skyship, gonflée à l'hélium, sont logés deux ballonnets d'air. Quand le dirigeable s'élève, la pression atmosphérique baisse et le gaz se dilate. Des soupapes automatiques s'ouvrent alors pour faire partir de l'air des ballonnets (ci-dessus), évitant ainsi le gaspillage du précieux hélium. De l'air est «écopé» à la descente pour gonfler de nouveau les ballonnets (à droite).

LE NEZ EN L'AIR
A la montée, rempli d'air et alourdi, le ballonnet aide le nez à se soulever. A la descente, l'air est chassé dans le ballonnet avant : le nez plonge.

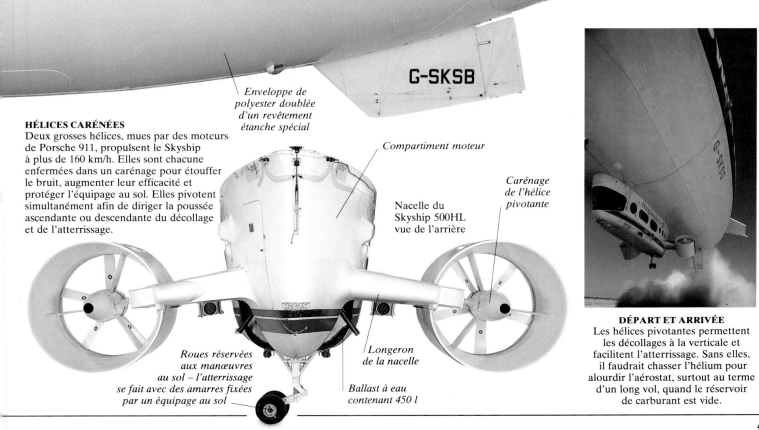

Gouverne de direction pour virer à droite ou à gauche

Gouverne de profondeur aidant à monter ou à descendre

G-SKSB

Enveloppe de polyester doublée d'un revêtement étanche spécial

HÉLICES CARÉNÉES
Deux grosses hélices, mues par des moteurs de Porsche 911, propulsent le Skyship à plus de 160 km/h. Elles sont chacune enfermées dans un carénage pour étouffer le bruit, augmenter leur efficacité et protéger l'équipage au sol. Elles pivotent simultanément afin de diriger la poussée ascendante ou descendante du décollage et de l'atterrissage.

Compartiment moteur

Carénage de l'hélice pivotante

Nacelle du Skyship 500HL vue de l'arrière

Roues réservées aux manœuvres au sol – l'atterrissage se fait avec des amarres fixées par un équipage au sol

Longeron de la nacelle

Ballast à eau contenant 450 l

DÉPART ET ARRIVÉE
Les hélices pivotantes permettent les décollages à la verticale et facilitent l'atterrissage. Sans elles, il faudrait chasser l'hélium pour alourdir l'aérostat, surtout au terme d'un long vol, quand le réservoir de carburant est vide.

LE VOL DISCRET DU PLANEUR

IL PLANE COMPLÈTEMENT
Les oiseaux de proie s'élèvent grâce aux courants d'air chaud ascendants.

À l'avènement du vol propulsé, les planeurs, qui avaient joué un grand rôle aux débuts de l'aviation (pp. 10-11), ont été boudés. Sans moteur, ils étaient supposés descendre au bout de quelques secondes. Mais au début des années 1920, on s'est aperçu que près des reliefs montagneux ils montaient, portés par des courants ascendants, et que les bons pilotes se maintenaient ainsi en l'air plusieurs heures d'affilée. On a découvert plus tard qu'il existait des courants ascendants d'air chaud venu du sol, même au-dessus de terrains plats. Dès lors, le vol à voile est devenu de plus en plus populaire. Aujourd'hui, le planeur est l'une des machines volantes les plus élégantes et, sur le plan aérodynamique, l'une des plus efficaces.

MÉTHODES DE LANCEMENT
Un planeur peut être lancé de différentes façons : tiré au bout d'un câble par une voiture puissante jusqu'à ce qu'il décolle, ou bien treuillé, selon le même principe. Les deux méthodes, bon marché et rapides, ne lancent pas le planeur plus haut que 300 m et, si le pilote ne trouve pas tout de suite un courant ascendant, le vol ne durera pas plus de quelques minutes. Le remorquage par avion à moteur (ci-dessous et à droite) est beaucoup plus efficace mais plus cher et plus long.

L'avion remorqueur décolle normalement avec le planeur à sa traîne.

L'avion remorqueur tire le planeur par un câble de 40 m.

EN BANDE!
Les lancements manuels étaient fréquents au temps où les amateurs se réunissaient sur des collines : ils couraient à plusieurs jusqu'au bord du vide en tirant le planeur avec un câble élastique.

PLANEURS MODERNES
Ils sont, comme ce monoplace Schleicher K23, en GRP (plastique renforcé par des fibres de verre) solide et léger, moulé pour obtenir une surface lisse à faible traînée. Leurs ailes soigneusement profilées les rendent très efficaces sur le plan aérodynamique, avec une finesse de 45 : ils descendent seulement de 1 m pour 45 parcourus. Les planeurs de compétition sont même plus performants.

Aileron

Tableau de bord

Câble attaché ici pour le remorquage automobile ou le treuillage

*Gouverne
de profondeur*

*Empennage
en T*

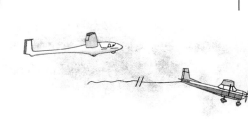

Le planeur largue le câble de remorquage à l'altitude désirée.

Le planeur est indépendant.

DANS LE SILENCE
Les grands planeurs
comme cet Airspeed
Horsa (à gauche)
ont aussi servi, pendant
la dernière guerre,
à débarquer sans bruit
des troupes et du matériel
derrière les lignes
ennemies. Mais une fois
repérés, ils étaient très
vulnérables, car très lents.

TUBE FIN
Le fuselage mince, effilé, est conçu
pour réduire la traînée. Même autour
du cockpit, il est ausi étroit que
possible et, près de la queue,
il a moins de 30 cm de diamètre.
L'empennage lui-même est
en forme de T, non seulement
pour la qualité
aérodynamique, mais aussi
pour protéger le plan fixe
horizontal des herbes
hautes, en cas
d'atterrissage forcé
dans un champ.

*Réservoir d'aile contenant de l'eau
pour ajouter du poids et accélérer
la manœuvre en virage. Ils peuvent
ensuite être vidés pour
alléger le planeur.*

*Siège du pilote
très incliné pour réduire
la hauteur du cockpit
et donc la traînée*

ENVERGURE
L'envergure des planeurs modernes est
impressionnante. Leurs longues ailes effilées leur
donnent une excellente portance. A l'extrémité, leur
largeur décroît afin de réduire le plus possible les
tourbillons d'air marginaux, générateurs d'une traînée
supplémentaire. Les ailes sont flexibles afin de mieux
supporter la violence des turbulences et des courants
ascendants, particulièrement à proximité des nuages.

EVW

EVW

*Gouverne
de direction*

*Orifice d'accrochage
du câble de remorquage*

AVEC LES DELTAS, LES HOMMES ONT ENFIN DES AILES

L'idée d'imiter les oiseaux a été abandonnée après la mort de Lilienthal et d'autres pionniers du début du siècle. Mais dans les années 1940, un Américain, Francis Rogallo, a inventé l'aile delta (triangulaire) en tissu, d'abord utilisée comme un parachute pour rapporter sur terre des équipements spatiaux. Bientôt, des hommes ont commencé à s'y suspendre pour voler, la dirigeant en déplaçant leur poids. Dans le monde entier, on a vu alors de plus en plus d'ailes volantes, ou deltaplanes, s'élancer depuis les sommets, et le vol libre est devenu un sport aérien populaire.

DES AILES QUI POUSSENT
Les premières ailes volantes descendaient très vite, avec une finesse (p. 58) de 2,5, ce qui donnait des vols très brefs. Mais peu à peu, les ailes se sont améliorées, s'éloignant du delta originel pour ressembler aux ailes classiques, longues et étroites. Le tissu a aussi été rallongé pour augmenter la surface portante. Aujourd'hui, les finesses atteintes sont de 14 ou 15 et les appareils peuvent désormais, comme les planeurs, se servir des courants ascendants chauds pour voler sur plus de 160 km.

Aile en Dacron tissé, léger et solide

Nervure de maintien en aluminium

Bord de fuite renforcé de mylar

HARNAIS INTÉGRAL
Sur les premiers deltas, le pilote était suspendu par un harnais d'alpiniste. Pour réduire la traînée, il a été remplacé par un long «harnais-cocon» intégral, très confortable et qui soutient très bien. Grâce à lui, le pilote peut voler plusieurs heures sans avoir froid ni se fatiguer.

Attache du pilote

Bretelle

Trou pour le bras

Harnais-cocon

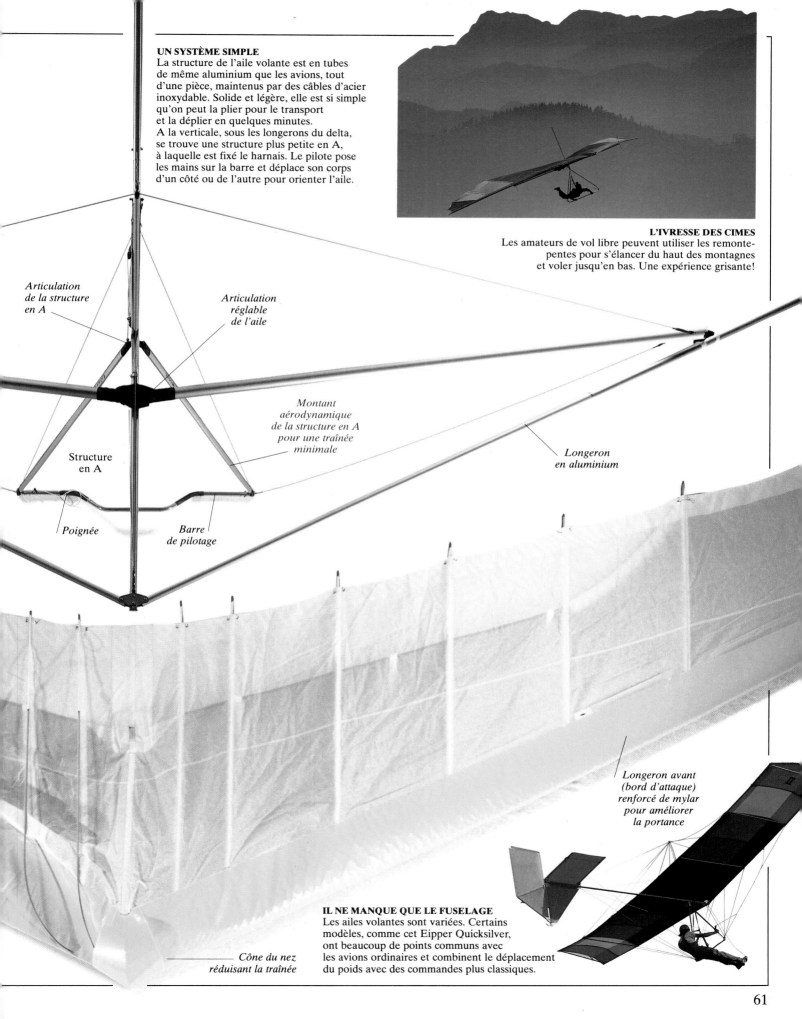

UN SYSTÈME SIMPLE
La structure de l'aile volante est en tubes
de même aluminium que les avions, tout
d'une pièce, maintenus par des câbles d'acier
inoxydable. Solide et légère, elle est si simple
qu'on peut la plier pour le transport
et la déplier en quelques minutes.
A la verticale, sous les longerons du delta,
se trouve une structure plus petite en A,
à laquelle est fixé le harnais. Le pilote pose
les mains sur la barre et déplace son corps
d'un côté ou de l'autre pour orienter l'aile.

L'IVRESSE DES CIMES
Les amateurs de vol libre peuvent utiliser les remonte-
pentes pour s'élancer du haut des montagnes
et voler jusqu'en bas. Une expérience grisante!

*Articulation
de la structure
en A*

*Articulation
réglable
de l'aile*

*Montant
aérodynamique
de la structure en A
pour une traînée
minimale*

*Longeron
en aluminium*

Structure
en A

Poignée

*Barre
de pilotage*

*Longeron avant
(bord d'attaque)
renforcé de mylar
pour améliorer
la portance*

IL NE MANQUE QUE LE FUSELAGE
Les ailes volantes sont variées. Certains
modèles, comme cet Eipper Quicksilver,
ont beaucoup de points communs avec
les avions ordinaires et combinent le déplacement
du poids avec des commandes plus classiques.

*Cône du nez
réduisant la traînée*

61

LES U.L.M.
OU L'AVIATION
À LA PORTÉE DE TOUS

Le vol propulsé laissait espérer
l'avènement de petits avions pratiques,
bon marché et à la portée de tous. Mais pendant
longtemps, des modèles aussi élémentaires que
les De Havilland Moth (p. 43) sont restés chers et compliqués.
En 1973, un pionnier australien du vol libre, Bill Bennett, a tenté
un vol sur un deltaplane mû par une hélice située derrière le pilote et
actionnée par un moteur de tronçonneuse. Sans être complètement sûr, l'engin
fonctionnait : l'ultra-léger-motorisé (U.L.M.) était né. Depuis, le moteur a fait
des progrès, de même que la structure.
Pendulaires ou multiaxes, les U.L.M. volent
aujourd'hui dans le monde entier, tandis
qu'aux États-Unis ou en Australie ce sont
de véritables avions miniatures à aile fixe.

*Longeron
en aluminium*

*Câble
de tension*

LE PREMIER U.L.M.?
Le minuscule monoplan n° 19 du Brésilien
Alberto Santos-Dumont n'avait que 6 m
d'envergure. Il l'avait conçu à Paris,
en 1907, comme une voiturette aérienne
démontable et transportable sur le plateau
arrière de sa voiture.

AILE LARGE
Comme le deltaplane
(pp. 60-61), ce Solar Wings
Pegasus Q a une aile
flexible triangulaire
en Dacron mais plus large,
pour pouvoir soulever
le moteur, le tricycle
et les deux membres
de l'équipage.

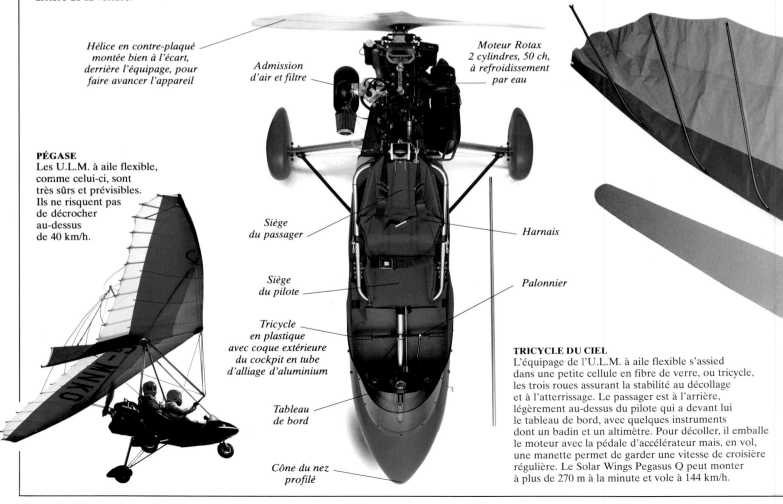

*Hélice en contre-plaqué
montée bien à l'écart,
derrière l'équipage, pour
faire avancer l'appareil*

*Admission
d'air et filtre*

*Moteur Rotax
2 cylindres, 50 ch,
à refroidissement
par eau*

PÉGASE
Les U.L.M. à aile flexible,
comme celui-ci, sont
très sûrs et prévisibles.
Ils ne risquent pas
de décrocher
au-dessus
de 40 km/h.

*Siège
du passager*

Harnais

*Siège
du pilote*

Palonnier

*Tricycle
en plastique
avec coque extérieure
du cockpit en tube
d'alliage d'aluminium*

TRICYCLE DU CIEL
L'équipage de l'U.L.M. à aile flexible s'assied
dans une petite cellule en fibre de verre, ou tricycle,
les trois roues assurant la stabilité au décollage
et à l'atterrissage. Le passager est à l'arrière,
légèrement au-dessus du pilote qui a devant lui
le tableau de bord, avec quelques instruments
dont un badin et un altimètre. Pour décoller, il emballe
le moteur avec la pédale d'accélérateur mais, en vol,
une manette permet de garder une vitesse de croisière
régulière. Le Solar Wings Pegasus Q peut monter
à plus de 270 m à la minute et vole à 144 km/h.

*Tableau
de bord*

*Cône du nez
profilé*

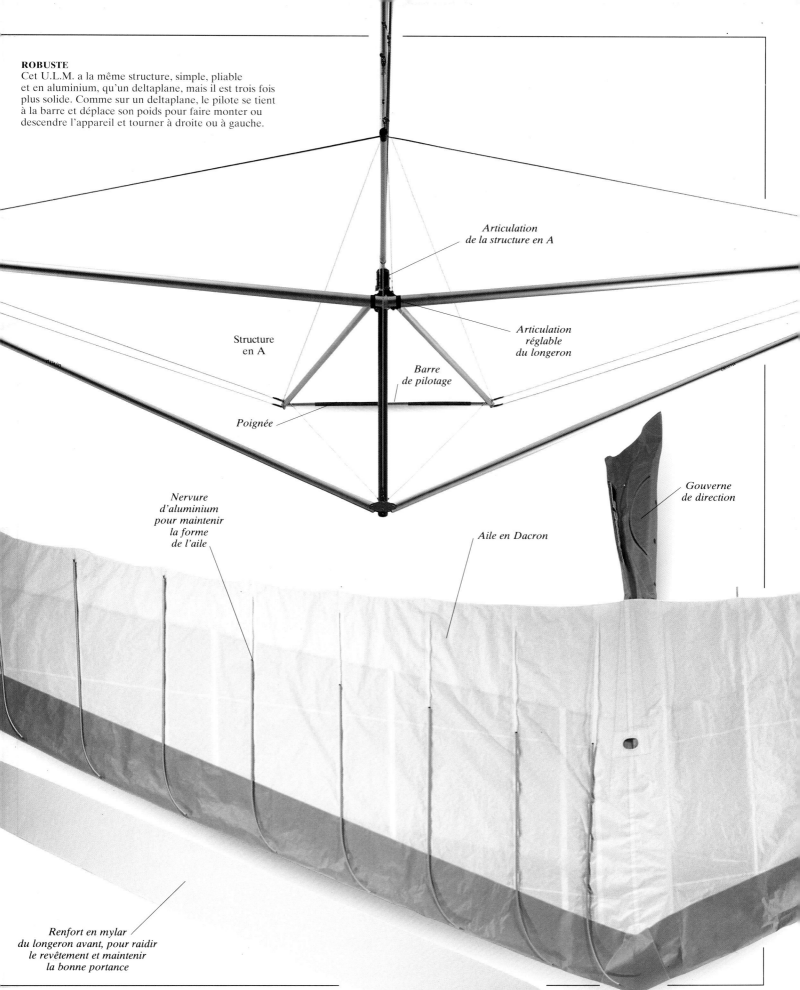

ROBUSTE
Cet U.L.M. a la même structure, simple, pliable et en aluminium, qu'un deltaplane, mais il est trois fois plus solide. Comme sur un deltaplane, le pilote se tient à la barre et déplace son poids pour faire monter ou descendre l'appareil et tourner à droite ou à gauche.

Articulation de la structure en A

Articulation réglable du longeron

Structure en A

Barre de pilotage

Poignée

Nervure d'aluminium pour maintenir la forme de l'aile

Gouverne de direction

Aile en Dacron

Renfort en mylar du longeron avant, pour raidir le revêtement et maintenir la bonne portance

INDEX

NOTES

Dorling Kindersley tient à remercier :
Aeromega Helicopters, Stapleford, Angleterre : pp. 50-51, 52-53
Airship industries, Londres : pp. 56-57 ; Paul Davie et Sam Ellery
Bristol Old Vic Theatre, Bristol : pp. 5-55, 60-61, 62-63 ; Stephen Rebbeck
British Aerospace, Hatfield : pp. 34-35, 44-45
Cameron Balloons, Bristol : pp. 54-55 ; Alan Noble
Musée des Ballons, château de Balleroy, Calvados, France : pp. 8-9
Noble Hardman Aviation, Crickhowell, Wales : pp. 26-27 ;
Penny et Giles, Christchurch : p. 47
RAF Museum, Hendon, Londres : pp. 16-17, 23, 24, 29, 38-39, 48-49, 52-53 ; Mike Tagg chez Skysport Engineering, Sandy, Bedford : pp. 18-19, 20-21 ; et Tim Moore et toute l'équipe
Rolls-Royce, Derby : pp. 36-37
Solar wings Ltd. Marlborough : pp 60-61, 62-63 ; John Fack
Hayward Gallery, Londres et Tetra Associates : pp. 6-7

London Gliding Club, Dunstable : pp. 58-59 ; Jack Butler
Science Museum, Londres : pp. 10-11, 12-13, 25, 28-29, 30-31, 39, 40, 46-47 ; Peter Fitzgerald
Science Museum, Wroughton : pp. 32-33 ; Arthur Horsham et Ross Sharp
Shuttleworth Collection, Old Warden Aerodrome, Bedford : pp. 14-15, 22, 38, 40-43 ; Peter Symes
John Bagley du Science Museum pour ses conseils et Lester Cheeseman

ICONOGRAPHIE

h= haut, b=bas, g=gauche, d=droit, m=milieu

Airship Industries : 57 bd
Austin J. Brown : 27 hd ; 35 hd ; 36 hd ; 55 mg
British Aerospace : 35 bd ; md
Harmon : 53 bd
Hulton Picture Library : 9 hm ; 9 bd ; 48 hg ; 52 hd
Jerry Young : 55 bg
Mary Evans Picture Library : 6 hm, bg ; 8 bg ; 11 hd, bd ; 14 m ; 15 dm ; 20 hg ; 21 bd ; 26 hg ; 32 hg ; 33 bd ; 39 bd ; 48 m ; 52 hg ; 53 hg ; 56 hg
Michael Holford : 10 hm
Popperfoto : 39 hg ; 53 hd
Quadrant : 49 bm
Retrograph Archive : 61 m
Robert Hunt Library : 18 bg
Solar Wings : 60 bg ; 62 bg
Science Museum, Londres : 10 bg ; 12 bm ; 13 bd
Zefa : 37 bd ; 60 hd, bd

Illustrations de Mick Loates, Peter Bull
Recherche iconographique de Suzanne Williams